MOZART raconté en 50 chefs-d'oeuvre

- Maquette de la couverture:
  JACQUES DES ROSIERS
- Maquette et mise en pages:
  DONALD MORENCY

DISTRIBUTEURS EXCLUSIFS:

- Pour le Canada
  AGENCE DE DISTRIBUTION POPULAIRE INC.,
  955, rue Amherst, Montréal 132, (514/523-1182)

- Pour l'Europe (Belgique, France, Portugal, Suisse, Yougoslavie
  et pays de l'Est)
  VANDER
  Muntstraat 10, 3000 Louvain, Belgique; tél.: 016/204.21 (3L)

- Pour tout autre pays
  DEPARTEMENT INTERNATIONAL HACHETTE
  79, boul. Saint-Germain, Paris 6e, France; tél.: 325.22.11

 2

LES ÉDITIONS DE L'HOMME LTÉE

Bibliothèque Nationale du Québec
Dépôt légal — 1er trimestre 1973

ISBN-0-7759-0365-5

PAUL ROUSSEL

MOZART raconté en 50 chefs-d'œuvre

LES ÉDITIONS DE L'HOMME

CANADA: 955, rue Amherst, Montréal 132
EUROPE: 321, avenue des Volontaires, Bruxelles, Belgique

Table des matières

*« There's nothing
better in art
than Mozart's best. »*
G. B. Shaw.

1

1777 | *Concerto pour piano et orchestre en Mi bémol majeur, no 9, K. 271*

1. **Allegro**
2. **Andantino en do mineur**
3. **Rondo: presto; menuetto: cantabile**

Le 27 janvier 1777, Wolfgang Amadeus Mozart célèbre son vingt et unième anniversaire de naissance auprès de son père, de sa mère et de sa sœur, dans sa ville natale de Salzbourg.

A cette époque de sa vie, Mozart est sur le point de devenir un jeune homme amer.

Attaché depuis six ans au poste de *Konzertmeister,* dans l'orchestre du prince-archevêque Hieronymus von Colloredo, il souffre d'être coupé des deux grands centres musicaux européens: Vienne et Paris.

Sa charge lui pèse d'autant plus qu'il avait connu, dès

l'âge de six ans, la gloire du plus étonnant des enfants prodiges. Avec sa sœur aînée Maria Anna, dite Nannerl, il avait été traîné à travers l'Europe par Leopold et Anna Maria Mozart, montré et applaudi en Allemagne, en France, en Angleterre et en Hollande.

Enfant frêle, nerveux, émotif, il avait dû subir la fatigue des voyages et l'épuisement des exhibitions publiques.

Il avait, par la suite, fait trois voyages successifs en Italie, seul avec son père. A une époque où la musique ne pouvait être qu'italienne, ce jeune Allemand de treize ans avait su, par ses opéras italiens, gagner la faveur du plus exigeant des publics.

Milan lui avait conféré l'Ordre de l'Eperon d'Or, après la création de son premier opéra: « Mitridate, Re di Ponto ». Bologne l'avait accueilli parmi les membres de sa Société Philharmonique. Vérone l'avait honoré du titre de Maître de chapelle.

Pourtant, à dix-sept ans, il cherchait en vain un poste auprès de l'impératrice Maria Theresa, à Vienne.

Deux ans plus tard, le 7 mars 1775, après avoir dirigé, à Munich, son opéra « La Finta Giardiniera », Mozart rentre à Salzbourg d'où il ne va pas parvenir à s'échapper avant septembre 1777; pour un musicien qui a connu la gloire dans sa vagabonde jeunesse, ces deux années de réclusion vont être atroces.

Quand il écrit, entre avril et décembre 1775, cinq magnifique concertos pour violon dans lesquels sa personnalité s'affirme avec éclat, ce n'est sans doute qu'à son propre usage qu'il les destine, puisque jouer du violon fait partie de ses fonctions de *Konzertmeister*.

Au début de l'année 1777, Mozart étouffe à Salzbourg. Alors qu'il ne rêve que d'écrire des opéras, il est réduit à composer de brèves messes indifférentes pour un maître qui le méprise et des œuvres galantes pour les nobles et les bourgeois cossus de la ville.

Les Salzbourgeois reconnaissent ses talents, mais ils ne peuvent ni contribuer à son évolution artistique, ni l'aider à réaliser ses plus chères aspirations.

Le jeune homme n'ignore rien de la révolution artistique qu'ont amorcée en Allemagne les œuvres de Lessing et de Gœthe; 1774 avait été l'année des « Souffrances du jeune Werther » et 1777 sera bientôt celle du « Sturm und Drang » de Klinger qui va donner son nom à un mouvement montrant, en même temps qu'une certaine inquiétude, une expression et une sensibilité nouvelles.

Mozart est d'autant plus impatient de partir qu'il sait que ce n'est pas à Salzbourg qu'il va pouvoir écrire des œuvres dans le nouveau style moderne et savant d'un Joseph Haydn, compositeur qu'il admire et considère comme maître; la découverte, à Vienne, en 1772, des Quatuors opus 20 de Haydn, avec quatre de leurs six finales fugués, l'avait bouleversé.

Car ce n'est pas à l'appel du réformateur Gluck que Mozart va répondre, ni à l'idéal du *Sturm und Drang* qu'il va aspirer; c'est vers Haydn qu'il se tournera, avant de remonter à Bach et à Handel.

Mais pour fixer son style et achever de former sa langue musicale, il doit quitter Salzbourg. Aussi, en janvier 1777, élabore-t-il secrètement, avec son père, une tournée en Allemagne qui les mènera tous les deux jusqu'à Paris.

Sur ces entrefaites, arrive à Salzbourg une célèbre pianiste, Mlle Jeunehomme, dont on ne sait rien sinon qu'elle est Parisienne et qu'en janvier 1777, Mozart lui dédie son Concerto en Mi bémol majeur, K. 271.

L'année suivante, se trouvant à Paris avec sa mère, Mozart offrira cette œuvre au graveur Sieber qui la refusera, effrayé sans doute, par son caractère révolutionnaire et ses grandes difficultés techniques.

Peu à peu, le concerto pour piano va devenir, pour Mozart, le genre grâce auquel il va pouvoir exprimer ce qu'il y a de plus personnel dans son génie et montrer qu'il est le plus grand pianiste de son temps.

C'est en écrivant le Concerto Jeunehomme que Mozart a trouvé le ton qu'il cherchait pour exprimer des sentiments intimes dans un genre de pur divertissement. Ses concertos subséquents pourront être plus raffinés; ils ne seront pas plus originaux.

Les quatre concertos pour clavecin de 1767 (K. 37, 39, 40 et 41) ne sont que des arrangements en concerto de divers mouvements de sonates françaises.

Le premier véritable concerto pour piano de Mozart est le Concerto en Ré majeur, K. 175, écrit à Salzbourg, en 1773, et auquel on donne le numéro 5. Mozart l'estimait suffisamment pour le jouer encore à Vienne, neuf ans plus tard;

c'est à cette occasion qu'il remplaça le premier finale trop polyphonique par un rondo plus enjoué et davantage dans le goût du jour (K. 382).

Le Concerto Jeunehomme reste, cependant, le premier de ses concertos pour piano qui soit indéniablement mozartien.

* * *

1. Allegro. Comme tout concerto de cette époque, celui-ci commence par un prélude orchestral, mais avec cette différence que le piano participe à l'exposition du premier thème. Pour Mozart, cette rupture un peu désinvolte avec la tradition n'est qu'une plaisanterie destinée à surprendre et à amuser le public. Bien que le beau rôle soit décerné au piano, l'orchestre affirme avec force son indépendance. Sonorité brillante malgré l'instrumentation réduite à deux hautbois, deux cors et aux cordes.

2. Andantino en do mineur. Premier mouvement lent en mineur dans un concerto pour piano de Mozart. C'est une médiation poétique, dans le style d'un récitatif haletant. Mozart y fait des confidences déchirantes de tendresse.

3. Rondo: presto; menuetto: cantabile. L'éblouissant et spirituel rondo est interrompu par un menuet à quatre variations, paisible et charmant. Ce procédé, inusité dans un rondo, avait déjà été utilisé par Mozart dans ses concertos pour violon. Reprise du rondo et retour au climat de gaieté un peu nerveuse qui caractérise ce finale.

Oeuvres écrites entre janvier 1777 et mai 1778

Divertimento en Si bémol majeur, K. 287
Divertimento en Fa majeur, K. 288

Air « Ah, lo previdi », K. 272
Messe en Si bémol majeur, K. 275

Offertoire « Alma Dei Creatoris », K. 277
Graduel « Sancta Maria », K. 273
Sonate pour piano en Do majeur, K. 309

Ariette « Oiseaux, si tous les ans », K. 307
Sonate pour piano en Ré majeur, K. 311

Quatuor pour flûte et cordes en Ré majeur, K. 285
Concerto pour flûte en Sol majeur, no 1, K. 313
Concerto pour flûte (hautbois) en Ré majeur, no 2, K. 314

Sonates pour piano et violon en Sol majeur, K. 301; en Mi bémol majeur, K. 302; en Do majeur, K. 303; en La majeur, K. 305

Air « Se al labbro mio », K. 295
Ariette « Dans un bois solitaire », K. 308
Sonate pour piano et violon en Do majeur, K. 296

Symphonie concertante (vents) en Mi bémol majeur, K. 297b
Concerto pour flûte et harpe en Do majeur, K. 299
Variations pour piano sur « Je suis Lindor », K. 354

2

1778 | Sonate pour violon et piano en mi mineur, K. 304

1. **Allegro**
2. **Tempo di minuetto**

Le 14 mars 1777, Leopold Mozart fait parvenir à Hieronymus von Colloredo une demande de congé, pour lui et son fils, qui reste sans réponse.

A une seconde pétition, envoyée en juin, l'archevêque de Salzbourg objecte qu'il requerra les services de tous ses musiciens à l'occasion de la visite que doit bientôt lui faire l'empereur Joseph II qui rentre de France, où il est allé voir sa sœur, Marie-Antoinette.

Un refus catégorique accueille une troisième requête rédigée au mois de juillet.

L'attitude hostile du prince-archevêque indique nettement le peu de cas qu'il fait des dons exceptionnels et de la réputation grandissante de son *Konzertmeister*.

Mais Mozart est un jeune homme fier; il entend montrer à

son souverain qu'il n'est pas qu'un simple musicien, parmi tant d'autres, attaché à la chapelle musicale d'une petite principauté allemande.

Le 1er août, il envoie sa lettre de démission à « sa Grandeur, l'illustre Prince du saint Empire romain de Salzbourg ».

Sur ce document, Colloredo griffonne au crayon: « Ex decreto Celsissimi Principis, 28 Augusti 1777. Pour la Chambre des comptes. Au nom du saint Evangile, le père et le fils ont ma permission d'aller chercher fortune ailleurs. »

Leopold Mozart sera maintenu par le magnanime Colloredo dans ses fonctions de violoniste et de compositeur de la cour de Salzbourg; mais pour ce qui est du voyage, il devra se faire remplacer par sa femme comme chaperon auprès d'un fils de vingt et un ans qu'il ne juge pas encore capable de voyager seul.

Le 23 septembre 1777, Anna Maria et Wolfgang Mozart partent pour Munich. N'ayant pu obtenir un poste auprès du prince-électeur Maximilien III, le jeune homme emmène sa mère à Mannheim où il ne réussira pas davantage à se fixer.

Dans cette ville, où il arrive à la fin d'octobre, Mozart se fait de nombreux amis parmi lesquels Christian Cannabich, chef de l'orchestre de Mannheim, le meilleur ensemble instrumental en existence en Allemagne, à cette époque, et le plus complet puisqu'on y trouve des clarinettes, instruments que Mozart affectionne.

Mozart décrit ainsi l'orchestre à son père: « De chaque

côté, il y a dix ou onze violons, quatre altos, deux hautbois, deux flûtes et deux clarinettes, deux cors, quatre violoncelles, quatre bassons et quatre contrebasses, ainsi que des trompettes et des timbales. Ils peuvent, avec cela, faire de la bonne musique . . . »

C'est également à Mannheim que Mozart rencontre Fridolin Weber, copiste et souffleur au théâtre de la ville, et l'oncle de Carl Maria von Weber, le futur auteur de « Der Freischütz ».

Le jeune homme fait aussi la connaissance de Frau Weber, de ses cinq filles et de son fils. Les deux filles aînées, Josepha et Aloysia, sont d'excellentes chanteuses, surtout Aloysia, à peine âgée de seize ans, et dont bientôt Mozart s'éprend éperdument.

Pour ce qui est de Constanze Weber, petite fille de quatorze ans et sa future femme, il ne la remarque même pas.

Mozart ne parle que d'Aloysia dans ses lettres à son père, assurant qu'elle chante admirablement, d'une voix belle et pure, et qu'il ne lui manque que l'«action dramatique» pour être première chanteuse dans n'importe quel théâtre. Elle déchiffre à merveille et parvient à jouer à vue, bien que lentement, ses sonates pour piano les plus difficiles.

Déjà, le jeune homme rêve de l'emmener en Italie où il pourrait écrire des opéras pour elle. En passant par Salzbourg, bien sûr, il ne manquerait pas de la présenter à Leopold Mozart et à Nannerl. En prévision du voyage, il passe des heures auprès d'elle à lui faire répéter des airs de bravoure.

Aloysia Weber dans le rôle de Zémire de l'opéra « Azor et Zémire » de Grétry.

Mécontent des échecs essuyés par son fils à Munich et à Mannheim, et, surtout, inquiet de cette passion pour Mlle Weber qui ne présage rien de bon, Leopold Mozart intime à sa femme et à son fils l'ordre de se rendre immédiatement à Paris.

Docile, mais à regret, Mozart obéit. Il part en emportant les promesses d'Aloysia et deux paires de mitaines qu'elle a tricotées pour lui, ainsi que les comédies de Molière, présent de Herr Weber, portant cette inscription: « Ricevi, amico, le opere del Molière in segno di gratitudine, e qualche volta ricordati di me. » Mozart peut y lire une pièce intitulée « Don Juan, ou le Festin de pierre », où l'auteur certifie qu'un « grand seigneur méchant homme » est une chose terrible.

Au cours des neuf jours et demi que dure le voyage, Mozart ressasse sa tristesse d'avoir quitté ses amis de Mannheim et sa chère Aloysia à qui il a promis de revenir bien vite.

Paris, où il arrive avec sa mère le 23 mars 1778, sera, pour Mozart, la source des plus amers désappointements. L'enfant prodige d'hier y avait été porté aux nues; le jeune homme d'aujourd'hui a cessé d'étonner. Il n'est plus qu'un jeune Allemand maladroit, qui baragouine le français et qu'on a totalement oublié.

Ce revirement d'attitude blesse Mozart profondément. Il écrit à son père, le 1er mai: « Paris a beaucoup changé; les Français sont loin d'être aussi polis qu'il y a quinze ans; leurs manières frisent la grossièreté et ils sont abominablement orgueilleux. »

25

« Vous me dites, poursuit-il, que je devrais faire beaucoup de visites pour me faire de nouvelles connaissances et renouer avec les anciennes. Il ne saurait en être question. A pied, les distances sont trop grandes — ou les routes trop boueuses; car la boue, à Paris, est indescriptible. En voiture, c'est tout de suite de quatre à cinq livres par jour, et pour rien du tout. Les gens font force compliments, il est vrai, mais tout s'arrête là. Ils me font inviter pour tel ou tel jour. Je joue et je les entends s'écrier: "Oh, c'est un prodige, c'est inconcevable, c'est étonnant!" et puis, ensuite, adieu! »

Mozart n'est pas à bout de ses déceptions. Jean Le Gros, directeur du célèbre Concert Spirituel, lui commande et reçoit de lui une symphonie concertante qui disparaît comme par enchantement et qu'on ne retrouve plus. Mozart soupçonne fortement le *mæstro* Cambini d'être le fomentateur de cette affaire, mais il n'a pas de preuves.

« Pour ce qui est de la musique, se plaint Mozart à son père, je ne suis entouré que de bêtes et de brutes. »

Des projets d'opéras n'aboutissent à rien. Il doit accepter d'écrire un ballet, « Les Petits riens », sur « de misérables airs français ». On lui propose, à Versailles, un poste d'organiste si mal rémunéré qu'il se voit forcé de le refuser. Il est déprimé, triste. Malgré la présence de sa mère à ses côtés, il se sent abandonné du monde entier.

« Je me porte relativement bien, Dieu merci, avoue-t-il à son père, bien que je me demande souvent si la vie vaut la peine d'être vécue — je n'ai ni chaud ni froid — et rien ne me fait vraiment plaisir. »

Et, pendant que sa mère, dans ses lettres à Salzbourg, évoque avec regret les joies familiales, Mozart pense à Aloysia qu'il a laissée à Mannheim. Il brûle de la revoir et se demande avec angoisse si elle voudra encore de lui quand il la retrouvera . . .

C'est dans cet état d'esprit que Mozart écrit, en mai 1778, l'une de ses œuvres les plus mélancoliques: la Sonate en deux mouvements pour violon et piano en mi mineur, K. 304.

Cette œuvre fait partie d'un groupe de six sonates pour violon et piano, dédiées à la princesse-électrice de Munich, et qui seront publiées à Paris, en 1778, sous le numéro d'opus 1 — ce qui porte à deux le nombre des opus 1 dans l'œuvre de Mozart. Il avait, en effet, publié à Paris, en 1774, deux sonates pour clavecin et violon, opus 1, dédiées à Madame Victoire, fille de Louis XV.

*   *   *

1. Allegro.   Le choix d'une tonalité mineure, chez Mozart, indique souvent qu'il va tenir des propos d'un caractère particulier. C'est le cas de cet *allegro* qui fait entendre, dès l'exposition à l'unisson du premier sujet, un ton plaintif. Atmosphère tendue, inquiétante même. Un jeu de contrepoint resserre la texture pourtant dense du matériel thématique. A deux reprises, la violence éclate avec passion, puis retombe. Ce morceau, d'une grande concision, est empreint d'une amère tristesse.

2. Tempo di minuetto.   Moins dramatique que l'*allegro* initial, ce mouvement en perpétue cependant la mélancolie. Le trio en Mi majeur est d'une grande beauté; tout de charme et de tendresse, il anticipe certaines valses viennoises de Schubert. L'accalmie est de courte durée. Inexorablement, le menuet répète son chant poignant. Ce morceau est d'une admirable brièveté. Mozart possède au plus haut point l'art de se taire quand il n'a plus rien à dire — une qualité qui s'est beaucoup perdue après lui.

L'œuvre qui suit immédiatement la Sonate en mi mineur, la Sonate pour piano en la mineur, K. 310, est également tragique, mais avec moins de discrétion et de retenue; elle rage et tempête dès le début du premier mouvement et donne cours à une émotivité presque démesurée.

Oeuvres écrites entre mai 1778 et l'automne 1779

Sonate pour piano en la mineur, K. 310
Sonate pour violon et piano en Ré majeur, K. 306
« Les Petits riens », K. 299b
Gavotte pour orchestre, K. 300
Symphonie en Ré majeur, no 31, K. 297 (« Paris »)
Sonate pour piano en Do majeur, K. 330
Sonate pour piano en La majeur, K. 331
Variations pour piano sur « Ah, vous dirais-je maman »,
K. 265
Variations pour piano sur « La Belle Française », K. 353
Sonate pour piano en Fa majeur, K. 332
Variations pour piano sur « Lison dormait », K. 264
Sonate pour piano en Si bémol majeur, K. 333

Air « Popoli di Tessaglia », K. 316
Sonate pour violon et piano en Si bémol majeur, K. 378
Concerto pour deux pianos en Mi bémol majeur, K. 365
Messe en Do majeur, K. 317 («Couronnement»)
Symphonie en Sol majeur, no 32, K. 318
« Thamos », K. 345
« Regina Cœli », K. 276
« Vesperae de Dominica », K. 321
Symphonie en Si bémol majeur, no 33, K. 319
Sérénade en Ré majeur, K. 320 (« Posthorn »)
Divertimento en Ré majeur, K. 334.

3

1779

Symphonie concertante pour violon et alto en Mi bémol majeur, K. 364

1. Allegro maestoso
2. Andante en do mineur
3. Presto

Vers le 15 juin 1778, la mère de Mozart tombe subitement malade; elle n'a aucune confiance en la médecine française et refuse de se faire soigner.

Pendant quelques jours, elle semble aller mieux et Mozart peut assister avec joie au succès de sa Symphonie en Ré majeur, K. 297, au Concert Spirituel de Le Gros, le 18 juin, jour de la Fête-Dieu.

« J'étais si heureux, écrit le jeune homme à son père, qu'aussitôt la symphonie achevée, je suis allé déguster une

Anna Maria Mozart. Portrait à l'huile d'un
artiste inconnu. Vers 1775.

glace au Palais-Royal, j'ai récité le rosaire que j'avais promis et suis rentré chez moi . . . »

Le 19, sa mère doit s'aliter, souffrant d'une grave infection intestinale.

Pour sa fièvre, Mozart fait prendre à sa mère une poudre antispasmodique qui ne produit aucun effet. Une angoisse terrible s'empare de lui et, malgré l'opposition de la malade, il prie un ami, un certain François Heina, d'aller chercher un médecin qui ordonne un traitement de rhubarbe en poudre.

Le mal fait des progrès si considérables que, le 29 juin, le médecin conseille à Mozart de faire venir un prêtre. Le jeune homme serre désespérément la main de sa mère et lui parle en pleurant.

Le 3 juillet, Anna Maria sombre dans le coma. Elle meurt à dix heures du soir.

Mozart écrit aussitôt à son père et, pour le préparer, lui dit que sa mère est gravement malade. Il écrit ensuite à un ami de la famille, à Salzbourg, l'abbé Bullinger: « Pleurez avec moi, mon ami! Voici le jour le plus triste de ma vie — j'écris ceci à deux heures du matin. Je dois vous annoncer que ma mère, ma chère mère, n'est plus! Dieu l'a rappelée à Lui. J'ai vu clairement que telle était Sa volonté et je m'y suis résigné. Il me l'avait donnée, Il pouvait me la reprendre. Mais pensez à l'angoisse, à la peur et au chagrin que j'ai endurés ces deux dernières semaines. Elle n'avait plus sa connaissance quand elle est morte — elle s'est éteinte comme une flamme. J'étais auprès d'elle, seul avec Herr Heina (un bon ami que mon père connaît) et l'infirmière ... Par la grâce de Dieu, j'ai enduré cette épreuve avec force et courage ... Je vous prie donc, très cher ami, de veiller sur mon père pour l'amour de moi et d'essayer de lui inspirer du courage afin qu'il puisse être fort quand il apprendra le pis. Je vous recommande également ma sœur de tout mon cœur. Rendez-vous auprès d'eux tout de suite, je vous en implore. Ne leur dites pas encore qu'elle est morte. Allez-y pour les préparer ... »

La mort de sa mère à l'étranger est, pour Mozart, une rude épreuve. Nerveux, actif et réaliste, il n'est cependant pas homme à s'apitoyer longtemps sur ses malheurs.

Personne ne viendra pleurer sur la dépouille mortelle de sa mère; il la fait enterrer le lendemain de sa mort et, le 9 juillet, il écrit à son père pour lui faire le récit des récents événements.

« Vous pourrez facilement imaginer ce que j'ai dû souffrir — quel courage et quelle fermeté il m'a fallu pour demeurer calme au fur et à mesure que les choses empiraient. J'ai, maintenant, suffisamment souffert et pleuré — à quoi bon, tout cela? Alors, j'ai essayé de me consoler. Faites comme moi, je vous en prie, mon cher père, ma chère sœur! Pleurez, pleurez, vous ne pouvez vous en empêcher, mais à la fin consolez-vous. C'est la volonté du Tout-Puissant qui s'accomplit — comment nous révolterions-nous contre Elle? Prions, plutôt, et remercions Dieu qui, dans Sa bonté, lui a accordé une mort très douce ... »

En août 1778, Leopold Mozart décide de rappeler son fils

à Salzbourg. Il paraît évident que Wolfgang n'a plus rien à attendre de Paris. Son absence a assez duré. Depuis un an, rien ne lui a réussi: il s'est brouillé avec Colloredo, il a échoué successivement à Munich, à Mannheim et à Paris, où, pour comble de malheur, sa mère est morte. Lettre après lettre, Leopold harcèle son fils et lui ordonne de rentrer à Salzbourg pour y reprendre son ancien poste.

Malgré sa répugnance, Mozart se soumet, mais il s'attarde en chemin, fait l'école buissonnière, passe un mois à Strasbourg où il donne un concert. Puis, plutôt que de mettre le cap sur Salzbourg, il part pour Mannheim se retremper, semble-t-il, dans l'atmosphère chaleureuse de cette ville amie.

Ayant appris qu'Aloysia Weber a été engagée à l'opéra allemand de Munich, où elle a déménagé avec toute sa famille, Mozart décide, en décembre, d'aller y retrouver la jeune fille.

Il se présente devant elle, portant le deuil de sa mère à la mode française: en habit rouge avec des boutons noirs. Il trouva Aloysia totalement changée à son égard. Elle semble ne plus vouloir se souvenir qu'à cause de lui, elle a pleuré naguère.

Amèrement déçu, et, plutôt que de pleurer, Mozart se met au piano et improvise un petit air insolent, sur les paroles: « J'emmerde qui se fiche de moi et la la la! »

Plus tard, parlant d'Aloysia Weber, Mozart dira qu'elle n'était qu'une coquette hypocrite et méchante; mais il l'avait aimée et il avait souffert à cause d'elle.

C'est le cœur serré et la tête basse qu'il réintègre le foyer paternel à la mi-janvier 1779. Le 27, il fête sans joie ses vingt-trois ans.

A son retour à Salzbourg, Mozart reçoit moins d'avancement qu'il n'avait espéré. Lui qui s'attendait à être nommé Maître de chapelle, il doit reprendre son poste de *Konzertmeister* auquel s'ajoutera bientôt celui d'organiste de la cour.

L'année 1779 est riche d'œuvres magnifiques: le Concerto pour deux pianos en Mi bémol majeur, la Messe du « Couronnement », la Sérénade « Posthorn », le Divertimento en Ré majeur, K. 334; c'est surtout l'année de la Symphonie concertante pour violon et alto en Mi bémol majeur, K. 364.

Parce qu'il a été un grand pianiste, on oublie que Mozart jouait excellemment le violon et l'alto. Dans cette symphonie concertante, il réunit pour la première et la dernière fois ses deux instruments préférés après le piano.

L'orchestre se compose de deux hautbois, deux cors et du quatuor à cordes où les altos ont deux parties distinctes à jouer.

* * *

1. Allegro mæstoso. Un mouvement de vastes proportions, expressif, coloré, et vibrant de passion. Le violon et l'alto s'entretiennent avec beaucoup de chaleur et d'animation. Ce que dit l'un, l'autre le reprend, le renforcit, le complète. Comme dans une conversation humaine, ces échanges verbaux sont ponctués de silences.

2. Andante en do mineur. Ici, le dialogue se fait plus intime, plus grave. Mozart oppose la voix brillante du violon à celle plus sombre de l'alto avec un art consommé. On a le sentiment, à la fin du morceau, que ce beau et pathétique duo d'amour aurait pu se poursuivre encore pendant longtemps.

3. Presto. Une comédie étourdissante de gaieté. Rien n'y est logique. Ce que l'on attend se produit, mais jamais sans imprévu et l'on va de surprise en surprise dans ce finale débordant d'imagination et de fantaisie. Mozart a écrit, pour cette symphonie concertante, des cadences qui sont des modèles de clarté et de concision.

**Oeuvres écrites de l'automne 1779
jusqu'au 23 novembre 1781**

Messe en Do majeur, K. 337
Sonate d'église en Do majeur, K. 336
« Vesperae solemnes de confessore », K. 339
Symphonie en Do majeur, no 34, K. 338
« Zaïde », K. 344
Lied « An die Hoffnung », K. 390
Lied « An die Einsamkeit », K. 391
Lied « Verdankt sei es dem Glanz », K. 392
Lied « Die Zufriedenheit », K. 349
Lied « Komm, liebe Zither », K. 351

« Idomeneo, Re di Creta », K. 366

Musique de ballet pour « Idomeneo », K. 367

Air « Ma, che vi fece », K. 368

Quatuor pour hautbois, violon, alto et violoncelle en Fa majeur, K. 370

Air « Misera, dove son! », K. 369

Sérénade en Si bémol majeur, K. 361

Rondo pour cor et orchestre en Si bémol majeur K. 371

Allegro d'une sonate pour piano et violon en Si bémol majeur, K. 372

Rondo pour violon et orchestre en Do majeur, K. 373

Air « Ah questo seno den vieni », K. 374

Sonates pour violon et piano en Fa majeur, K. 376; en Fa majeur K. 377; en Mi bémol majeur, K. 380; en Sol majeur, K. 379

Variations pour piano et violon sur « Hélas, j'ai perdu mon amant », K. 360

Variations pour piano en Fa majeur, sur un thème de Grétry, K. 352

Sérénade en Mi bémol majeur, K. 375

4

1781 | Sonate pour deux pianos en Ré majeur, K. 448

1. **Allegro con spirito**
2. **Andante en Sol majeur**
3. **Allegro molto**

Dès le retour de Mozart à Salzbourg, la méfiance se rétablit entre Colloredo et lui. Le jeune homme n'a plus qu'une idée fixe: secouer un joug insupportable et retrouver son indépendance.

La condition des musiciens allemands, asservis à de petites cours asphyxiantes, est trop avilissante pour que Mozart s'y soumette plus longtemps.

Il a la profonde conviction qu'il est absolument impossible, pour un musicien, de faire sa vie en Allemagne. Lui-même a essayé, non pas à Vienne, puisqu'il est Allemand, mais à Munich et, surtout, à Mannheim, pour échouer lamentablement. (Il avait éclaté en sanglots, chez ses amis Cannabich, en apprenant que Karl Theodor, le prince-électeur du Palatinat, ne voulait pas de lui.)

Pour faire carrière, il fallait s'exiler. Johann Sebastian Bach était un inconnu, en Europe, parce qu'il n'avait

La famille Mozart. Peinture à l'huile de Johann della Croce, 1780-81. Le portrait d'Anna Maria Mozart est au mur.

jamais quitté son pays, alors que son fils Johann Christian et Handel, à Londres; Gluck, Schobert et Gossec, à Paris; Hasse, à Milan, et même, Dittersdorf, à Vienne, étaient devenus célèbres, pour avoir quitté l'Allemagne.

Mozart partira donc.

A la fin de l'été 1780, il reçoit de Karl Theodor, devenu prince-électeur de Bavière, la commande d'un *opera seria* pour le prochain carnaval de Munich. C'est pour le carnaval de Munich que cinq ans auparavant, en 1775, il avait composé « La Finta Giardiniera ».

Le nouvel opéra, « Idomeneo, Re di Creta », s'inspire d'une tragédie française du début du dix-huitième siècle. Le livret sera confié à l'abbé Varesco, chapelain de la cour de Salzbourg, ce qui enchante Mozart, puisqu'il va pouvoir, ainsi, participer étroitement à son élaboration.

L'*opera seria* est un genre démodé, solennel et pompeux qu'un compositeur moderne comme Mozart ne prise guère; trop heureux, cependant, d'écrire à nouveau pour le théâtre, il se met à la tâche avec ardeur.

Il n'y avait pas de théâtre d'opéra à Salzbourg, à cette époque. Parfois, des acteurs venaient y donner des spectacles, comme, par exemple, en septembre 1780, la troupe d'Emmanuel Schikaneder, le futur librettiste de « La Flûte enchantée ». Mozart écrit des airs pour lui et les deux hommes deviennent vite bons amis.

Le 5 novembre 1780, Mozart part seul pour Munich afin

d'y rencontrer les chanteurs, diriger les répétitions et terminer « Idomeneo » sur place.

Colloredo quitte lui-même Salzbourg pour se rendre aux funérailles de Maria Theresa, à Vienne.

Leopold Mozart et Nannerl se sentent donc parfaitement libres d'accourir aussitôt à Munich.

La générale d'« Idomeneo » a lieu le 27 janvier 1781, jour du vingt-cinquième anniversaire de naissance du compositeur, et la première le surlendemain, sous sa direction.

« Idomeneo » est reçu avec beaucoup d'enthousiasme par le public de Munich. Fort de ce succès, Mozart est plus décidé que jamais d'échapper à sa présente servitude. Après les fatigues occasionnées par la mise en scène de son opéra, le jeune *mæstro* est heureux de pouvoir participer aux joies du carnaval, en compagnie de son père et de sa sœur.

Au moment où il s'apprête à repartir pour Salzbourg, il reçoit de Colloredo l'ordre de le rejoindre sans tarder à Vienne.

Leopold et sa fille rentrent donc seuls chez eux.

A compter de l'arrivée de Mozart dans la capitale impériale, le 16 mars, toute une série d'événements va précipiter la rupture entre son maître et lui.

Un soir, chez le prince Galitzine, plutôt que de se présenter en même temps que les musiciens salzbourgeois, Mozart arrive volontairement en retard de manière à être reçu personnellement par le prince.

Hieronymus von Colloredo, prince-archevêque de Salzbourg. Peinture à l'huile par König.

Furieux de tant d'insolence, et en guise de représailles, Colloredo interdit à Mozart de prendre part à un concert de charité, donné au profit des veuves et des orphelins des musiciens de Vienne.

Mozart fait alors aussitôt intervenir en sa faveur, auprès du prince-archevêque, des personnages importants de sa connaissance, ce qui fait qu'à son plus grand dépit, Colloredo se voit forcé de lever l'interdit.

Le concert en question, auquel prend part un orchestre de 180 musiciens, a lieu le 3 avril, et Mozart s'y taille un immense succès.

Plusieurs scènes violentes éclateront, peu après, entre Colloredo et Mozart. Au cours de l'une d'elles, l'archevêque de Salzbourg s'oubliera même au point de traiter son *Konzertmeister* de polisson et de débauché.

Le 9 mai, Mozart raconte l'entrevue à son père: « On a poussé ma patience à bout pendant si longtemps qu'à la fin le vase a débordé. Je n'ai plus le malheur d'être au service de Salzbourg. Aujourd'hui est, pour moi, un jour de bonheur. Ecoutez bien . . . Il m'a appelé un scélérat, un coquin, un gueux . . . Oh, je ne pourrais jamais vous rapporter toutes ses injures . . . A la fin, mon sang n'a fait qu'un tour; je n'ai pu me retenir de lui dire: « Ainsi, votre Altesse se plaint de moi? » — « Quoi! Il ose me défier, ce scélérat? La porte est là! Qu'il prenne garde, car je ne veux plus rien avoir à faire avec un misérable de cet acabit! » Sur quoi j'ai moi-même jeté: « Ni moi non plus! » — « Alors, qu'on sorte! »

Hors de lui, Mozart envoie le jour même une lettre officielle de démission au comte Karl Arco, grand Maître des services de table de Colloredo.

Le comte Arco refuse de transmettre la lettre au prince-archevêque et, pendant un long mois, Mozart reste sans nouvelles de lui. « L'archevêque dit du mal de moi devant tout le monde, écrit-il, sans se rendre compte que ses calomnies le déshonorent; car on m'estime à Vienne plus que lui. Il a la réputation de n'être qu'un ecclésiastique présomptueux et arrogant, qui méprise tout le monde ici, alors que je suis considéré comme un homme très aimable . . . »

Le 9 juin, Mozart adresse un mémoire au comte Arco pour demander une entrevue.

« Eh bien, le comte Arco a magnifiquement arrangé les choses! raconte-t-il à son père, le lendemain de la rencontre. Refuser de transmettre ma pétition par pure bêtise, la dissimuler lâchement à son maître par désir de flagornerie, me faire poireauter pendant des semaines, et, finalement, ayant accepté de me recevoir, me jeter à la porte d'un coup de pied au derrière, voilà ce comte qui, selon votre dernière lettre, prend tant à cœur mes intérêts! »

Ainsi le comte Karl Arco entre-t-il dans l'histoire pour avoir chassé Wolfgang Amadeus Mozart d'un coup de pied au cul.

Mozart jure de se venger. Pendant des semaines, il ne pense qu'à cela. Mais, au dix-huitième siècle, surtout contre un gentilhomme de haute noblesse, ce n'est guère une chose facile. Peu à peu, dans la joie délirante d'une liberté si chèrement acquise, sa colère tombe. Il décide de faire venir de Salzbourg sa musique et ses vêtements et de s'installer temporairement — croit-il — à Vienne.

Il va y passer le reste de ses jours.

Au moment de sa querelle avec Colloredo, Mozart avait quitté la Maison allemande, où logeait l'archevêque et ses gens, pour prendre une chambre chez Frau Cäcilie Weber, la mère d'Aloysia, devenue veuve, dans une maison appelée « L'Oeil de Dieu ».

Cette fois, c'est de la sœur d'Aloysia, Constanze, âgée de 18 ans, qu'il s'éprend.

« Mais qui peut bien être l'objet de mon amour? écrit-il à son père, en décembre, afin de le préparer à ses fiançailles. Rassurez-vous, s'il-vous-plaît. Sûrement pas encore une Weber? Si, une Weber — mais ni Josepha, ni Sophie, mais Constanze, celle qui est entre les deux . . . »

Et le soupirant de brosser ce portrait de « celle qui est entre les deux », sa future femme: « Elle n'est pas laide, bien qu'elle soit loin d'être belle. Toute sa beauté consiste en deux petits yeux noirs et une jolie taille. Aucune vivacité d'esprit, mais suffisamment de bon sens pour remplir ses devoirs d'épouse et de mère . . . Elle sait tenir maison et a le meilleur cœur du monde. Je l'aime et elle m'aime aussi de tout son cœur. Dites-moi si je pourrais espérer trouver une meilleure femme? »

Des rumeurs parviennent à Salzbourg de la présence de Mozart à « L'Oeil de Dieu » et de l'existence trop libre qu'il y mènerait auprès des filles de la veuve Weber.

*Constanze Mozart. Portrait à l'huile peint
par Josef Lange, beau-frère de Mozart.
1782.*

Leopold se fâche et force son fils à déménager. Il lui recommande de s'installer immédiatement chez des amis qu'il a, à Vienne, les Aurnhammer, et dont, justement, la fille Josepha est une élève de Mozart.

Voici comment le maître décrit l'élève: « Si un peintre voulait faire un fidèle portrait du diable, il n'aurait qu'à reproduire son visage. Elle est grosse comme une paysanne, transpire à faire dégueuler, et se promène dépoitraillée comme pour dire: "Je vous prie, mais regardez donc ceci!" Et, en effet, il y a beaucoup à voir, jusqu'à rendre aveugle! Des sels très forts sont le seul remède contre sa vue et l'on est bien puni toute la journée si, par malheur, l'on a laissé ses yeux s'aventurer dans sa direction! Oh, la dégoûtante, la vilaine, l'horrible fille! Fi, le diable! »

Pourtant, Mozart, charmé par les dons de la jeune fille, doit avouer qu'elle joue à ravir.

C'est pour Josepha Aurnhammer et lui-même que Mozart écrit sa Sonate pour deux pianos en Ré majeur. L'œuvre fut exécutée pour la première fois le 23 novembre, chez les Aurnhammer.

Si le manuscrit porte la date de 1784, c'est que, sans doute, Mozart fit une copie fraîche de cette œuvre lorsqu'il la rejoua avec une autre de ses élèves, Barbara Ployer, à Döbling, en juin 1784.

Mozart n'a encore jamais rien écrit pour deux pianos. Fräulein Aurnhammer étant une partenaire de grande classe, il opte pour une œuvre brillante, purement ornementale et galante.

1. Allegro con spirito. Le morceau commence par l'un de ces sonores appels à l'attention si fréquents dans les œuvres galantes de Mozart. Le dialogue entre les deux pianos est aussi éloquent que celui du violon et de l'alto dans la Symphonie concertante en Mi bémol majeur, mais plus superficiel, malgré certains passages en canon.

2. Andante en Sol majeur. Le climat est à la poésie et à l'élégance. Mais toutes ces charmantes mélodies sont d'une trompeuse facilité.

3. Allegro molto. Afin de permettre à son élève de briller, Mozart termine sa sonate par un morceau de bravoure où elle peut rivaliser de virtuosité avec lui. C'est une turquerie burlesque, étourdissante de joie, dans l'esprit de cette sublime turquerie que sera bientôt « L'Enlèvement au sérail ».

**Oeuvres écrites entre le 23 novembre 1781
et le 16 juillet 1782**

Rondo pour piano et orchestre en Ré majeur, K. 382
Air « Nehmt meinen Dank », K. 383
5 Fugues de J.S. Bach transcrites pour quatuor à cordes,
K. 405
4 Préludes pour trio à cordes destinés à des fugues de J.S.
Bach, K. 404a
Prélude et fugue pour piano en Do majeur, K. 394
Fantaisie pour piano en Ré mineur, K. 397

5

1781-1782 | "Die Entführung aus dem Serail" K. 384 "L'Enlèvement au sérail"

Jusqu'à sa rupture avec Colloredo et son installation à Vienne, en 1781, Mozart avait dépendu de son père et du prince-archevêque de Salzbourg. Pour la première fois de sa vie, le voilà brusquement dans l'obligation d'assumer seul ses moyens de subsistance.

En attendant de pouvoir donner des concerts, il prend trois élèves: la comtesse Zichy, la comtesse de Rumbeke et Therese von Trattner.

Le premier concert viennois de Mozart — et son premier grand succès dans la capitale impériale — a lieu le 26 mai, à l'Augarten. L'archiduc Maximilien et la comtesse Thun y assistent, ainsi que le baron Gottfried van Swieten que

Mozart vient de rencontrer et qu'il va beaucoup fréquenter, à l'avenir.

Mozart fait également la connaissance de Gottlieb Stephanie, dit Stephanie le Jeune, qui est régisseur au théâtre allemand. Les deux hommes en viennent, naturellement, à parler d'opéra et Mozart raconte dans quelles circonstances, à l'âge de douze ans, il avait composé pour le docteur Anton Mesmer de Vienne un *singspiel* (ou opérette allemande) intitulé « Bastien und Bastienne », traduction allemande des « Amours de Bastien et Bastienne » de Mme Favart, œuvre largement inspirée du « Devin de village » de Jean-Jacques Rousseau.

Mozart fait voir à Stephanie la musique qu'il avait écrite à Salzbourg, l'année précédente, pour un autre *singspiel:* « Zaïde ou le Sérail ». Enthousiasmé, Stephanie propose alors un livret entièrement nouveau: « Belmonte und Konstanze, oder: Die Entführung ». Mozart n'ose croire à son bonheur, lui qui, justement, a une folle envie d'écrire une turquerie, genre particulièrement susceptible de plaire aux Viennois.

A cette époque où les droits d'auteurs n'existaient pas, Stephanie le Jeune avait, pour assembler son intrigue, impitoyablement pillé la pièce « Belmont und Konstanze » d'un certain Christoph Friedrich Bretzner. Bretzner protesta vigoureusement, dans un journal de Leipzig, contre un Viennois du nom de Mozart qui avait honteusement plagié son drame.

L'affaire en resta là, l'auteur de « Belmont und Konstanze » ayant lui-même volé ses idées à tout le monde.

Programme de la création de
« *L'Enlèvement au sérail* ».

Le 31 juillet, Stephanie remet le livret de « L'Enlèvement au sérail » à Mozart. Trois jours plus tard, trois airs sont déjà terminés. Le premier acte est achevé le 22 août. Le second ne le sera pas avant le 8 mai de l'année suivante et le troisième, le 29 mai 1782.

La création de « L'Enlèvement » devait avoir lieu à la mi-septembre 1781; de nombreuses revisions réclamées par Mozart (et qui faillirent le brouiller avec son librettiste) et de puissantes cabales menées contre le *singspiel* la retar-dèrent jusqu'en juillet 1782.

L'opéra italien était alors roi, à Vienne, et il devait se trouver, naturellement, beaucoup de musiciens pour qui la création du nouvel opéra allemand de Mozart était à re-douter, d'autant plus qu'on en disait le plus grand bien.

Enfin, le 16 juillet 1782, la première représentation de « L'Enlèvement au sérail » remporte, au Burgtheater, un succès retentissant.

Dans une lettre à son père, datée du 20 juillet, Mozart écrit: « J'espère que vous avez bien reçu ma dernière lettre vous informant du succès obtenu par mon opéra. On l'a chanté hier pour la seconde fois. Me croirez-vous lorsque je vous dirai que la cabale d'hier contre l'opéra a été encore plus forte que le premier soir! On a sifflé pendant tout le premier acte, mais pas assez pour noyer les bravos qui retentissaient pendant les airs ... Au deuxième acte, les deux duos ont été bissés, comme le premier soir, ainsi que le rondo de Belmonte: « Wenn der Freude Tränen flies-sen ». Le théâtre était peut-être encore plus bondé que le premier soir et déjà, le premier soir, on ne pouvait trouver de place ni au parterre, ni à la troisième galerie, ni dans aucune loge. Mon opéra a rapporté 1200 florins en deux jours. »

Le 27, Mozart écrit encore: « Mon opéra a été chanté hier pour la troisième fois ... et il a été ovationné; encore une fois, en dépit d'une effroyable chaleur, la salle était comble ... Je dois avouer que les gens d'ici sont absolument fous de cet opéra. Un tel succès fait quand même plaisir. »

L'on ne parle plus, semble-t-il, dans les milieux musicaux viennois, que de «L'Enlèvement au sérail » et de sa grande originalité.

Beaucoup d'amateurs, cependant, trouvent l'œuvre trop compliquée et surtout trop difficile à chanter. L'on rapporte même que, tout en protestant de son admiration, l'empereur Joseph II aurait objecté qu'elle contenait trop de notes, ce à quoi Mozart aurait rétorqué: « Pas une de trop, Sire! »

Le fait que le rôle d'Osmin affiche une importance démesurée; que celui, important, du Pacha Selim ne soit qu'un rôle parlé; que la scène de l'enlèvement ne soit pas chantée; que certains airs soient trop longs et le vaudeville final trop mince, comptent parmi les reproches traditionnels que l'on fait à cet opéra.

Qu'ils soient justifiés ou non, « L'Enlèvement au sérail » reste une œuvre d'une vitalité et d'un entrain irrésistibles, manifestant des qualités d'enthousiasme, de fraîcheur et de jeunesse que Mozart ne retrouvera plus. Exception faite pour le « Ach, ich fühl's » de Pamina, dans « La Flûte enchantée », ce *singspiel* contient les deux plus beaux chants d'amour écrits par Mozart: le « O wie ängstlich » de Belmonte et le « Traurigkeit » de Constanze.

Au moment où il compose « L'Enlèvement au sérail », Mozart est non seulement un compositeur chevronné, un artiste qui a connu la solitude et la souffrance, mais encore un homme amoureux, parfaitement capable de comprendre et d'exprimer les sentiments les plus profonds du cœur humain.

* * *

Dans une lettre écrite le 26 septembre 1781, Mozart décrit longuement à son père le premier acte de «L'Enlèvement au sérail ».

« Je ne vous ai envoyé que quatorze mesures de l'ouverture, qui est très courte, passant sans cesse du *forte* au *piano,* la musique turque tombant toujours au *forte.* Cette ouverture module dans plusieurs tons; et je doute qu'on puisse s'y endormir, même si l'on a passé la nuit blanche! »

No 1: Air de Belmonte: « Hier soll ich dich denn sehen ». « Comme le texte original commençait par un monologue, j'ai demandé à Herr Stephanie d'en faire une petite ariette . . . »

Cet air reprend, en Do majeur, le thème en do mineur de l'*andante* qui forme la section médiane de l'ouverture.

No 2: Air d'Osmin: « Wer ein Liebchen hat gefunden », suivi d'un duo de Belmonte et d'Osmin. « . . . j'ai demandé à Herr Stephanie d'en faire une petite ariette et ensuite d'écrire un duo plutôt que de laisser bavarder les deux personnages après la petite chanson d'Osmin. »

La « petite chanson » d'Osmin est un *lied* à couplets de style allemand, le duo comique un pur joyau d'*opera buffa*.

No 3: Air d'Osmin: « Solche hergelaufne Laffen ». « La colère d'Osmin est rendue comique grâce à l'utilisation de la musique turque . . . Au moment où sa rage prend des proportions menaçantes (et que l'on croit l'air terminé), survient l'*allegro assai,* d'un tempo différent et dans un tout autre ton, ce qui devrait faire beaucoup d'effet. Car, tout autant qu'un homme aux prises avec une si violente colère excède toute mesure et modération, allant jusqu'à s'oublier entièrement, autant il faut que la musique s'oublie elle-même. Cependant, comme les passions, si violentes soient-elles, ne doivent jamais être exprimées de manière à inspirer du dégoût, et comme la musique, même dans les situations les plus terribles, ne doit jamais offenser l'oreille, mais charmer l'auditeur, en d'autres termes, ne doit jamais cesser d'être de la musique, je n'ai donc pas choisi un ton éloigné de Fa majeur (tonalité de l'air), mais un ton relatif — pas le plus proche, ré mineur, mais celui de la mineur. »

No 4: Air de Belmonte: « O wie ängstlich, o wie feurig ». « Laissez-moi vous parler, maintenant, de l'air de Belmonte en La majeur, « O wie ängstlich, o wie feurig ». Aimeriez-vous savoir comment je l'ai exprimé — et même comment j'ai rendu les battements de son cœur? Par les deux violons jouant à l'octave. Cet air est le favori de tous ceux qui l'ont entendu, et c'est aussi celui que je préfère. Je l'ai écrit expressément pour mettre en valeur la voix d'Adamberger. On sent le tremblement, l'hésitation, on voit sa poitrine palpitante se soulever; j'ai rendu ceci par un *crescendo*. On y entend la voix qui chuchote et qui soupire — ceci exprimé par les premiers violons avec sourdines et une flûte à l'unisson. »

No 5: Chœur des Janissaires: «Singt dem grossen Bassa Lieder ». «Le chœur des Janissaires est tout ce qu'on peut attendre d'un tel chœur, c'est-à-dire bref, vivant et bien fait pour plaire aux Viennois. »

No 6: Air de Constanze: « Ach, ich liebte, war so glücklich ». « J'ai un peu sacrifié l'air de Constanze à l'agilité vocale de Mlle Cavalieri, « Trennung war mein banges Los; und nun schwimmt mein Aug' in Tränen ». J'ai cherché à exprimer ses sentiments autant que puisse le permettre un air de bravoure à l'italienne. J'ai remplacé « hui » par « schnell », ce qui donne à présent: « Doch wie schnell schwand meine Freude ». Je ne sais vraiment pas où nos poètes allemands ont la tête. Même s'ils ne comprennent rien au théâtre, ou du moins à l'opéra, ils devraient s'abstenir de faire parler leurs personnages comme on parle à des porcs! Hui, truie! »

No 7: Trio Osmin-Belmonte-Pedrillo: « Marsch! Trollt euch fort! » « A présent, le trio qui termine le premier acte ... Il commence plutôt brusquement — et, parce que les mots s'y prêtent, j'en ai fait un assez bon morceau de véritable écriture à trois voix. C'est alors qu'on passe rapidement au majeur, *pianissimo* — cela doit aller très vite — en faisant beaucoup de bruit, ce qui est parfait pour un finale. Plus il y a de bruit, mieux c'est, et plus c'est court, mieux c'est aussi, pour ne pas laisser aux auditeurs le temps de se refroidir dans leurs applaudissements. »

Dans cette lettre du 26 septembre 1781, Mozart explique qu'il n'a pas poussé plus avant la composition de l'opéra à cause des remaniements qu'il a demandé à Stephanie d'apporter au livret. Ses propres descriptions des divers numéros de « L'Enlèvement au sérail » s'arrêtent donc ici, sauf pour la mention qu'il fait du quatuor « Endlich scheint die Hoffnungssonne » (no 16) qui, dans la version finale, termine le deuxième acte. Mozart en parle comme d'un « charmant quintette ou plutôt d'un finale » qui commence le troisième acte, mais qu'il préférerait placer à la fin de l'acte II. Ce « quintette » est devenu le quatuor qui termine le deuxième acte.

« L'Enlèvement au sérail » n'est pas un opéra d'ensembles, comme le seront les ouvrages dramatiques subséquents de Mozart.

En effet, ce *singspiel* comporte quatorze airs pour sept ensembles: un chœur; trois duos; le trio-finale du 1er acte; le quatuor-finale du 2ème acte et le quintette-finale (vaudeville) de l'acte III. Le chœur des Janissaires (no 5) est repris, après le vaudeville, et clôture l'opéra.

Le grand air de Constanze, « Martern aller Arten » (no 11), est remarquable en ceci que Mozart le fait précéder d'un long prélude instrumental contenant des éléments concertants qui réapparaîtront au cours de l'air proprement dit. Cette scène dramatique de bravoure impose au soprano qui l'interprète des prouesses vocales qui n'ont rien à envier à celles de la Reine de la Nuit.

Dans sa lettre du 26 septembre 1781, Mozart qualifie de « rondo » l'air de Belmonte, « Wenn der Freude Tränen fliessen » (no 15) dont l'accompagnement rythmique rappelle celui de la romance de la Sérénade « Eine kleine Nachtmusik ».

De continuelles fluctuations entre le majeur et le mineur produisent un effet singulier dans la ravissante sérénade, « Im Mohrenland » (no 18), que Pedrillo chante au troisième acte, en s'accompagnant sur une mandoline.

Le duo Pedrillo-Osmin, « Vivat Bacchus! Bacchus lebe! » (no 14), est un modèle de brièveté — alors que certains numéros de l'opéra sont beaucoup trop longs; on réentend, ici, le son de la « musique turque » que Mozart obtient à grands renforts de triangle, de grosse caisse et de cymbales.

Le duo Osmin-Blonde, « Ich gehe, doch rate ich dir » (no 9), au cours duquel le spectateur apprend que la jeune femme est une « Anglaise née pour la liberté », est également léger et charmant. Par contre, le grand récitatif et duo Belmonte-Constanze, « Welch ein Geschick! O Qual der Seele! » (no 20), peut sembler étrangement dramatique dans une action qui s'apprête à se transformer en vaudeville.

6

1782 | *Sérénade pour instruments à vent en do mineur, K. 388*

1. **Allegro**
2. **Andante en Mi bémol majeur**
3. **Menuetto in canone; trio in canone al rovescio**
4. **Allegro**

Quatre jours après la première de « L'Enlèvement au sérail », Mozart écrit à son père: « J'ai du travail par-dessus la tête puisque, dimanche en huit, je dois avoir arrangé mon opéra pour instruments à vent, si je ne veux pas que quelqu'un me devance et m'en chipe les profits. »

Mozart terminera à temps l'arrangement pour vents, mais pour ce qui est de la réduction piano-chant, il se fera damer le pion par un éditeur d'Augsbourg.

« Vous ne pouvez imaginer comme c'est difficile, se plaint-il dans sa lettre, d'arranger une telle œuvre pour instruments à vent d'une manière convenable et sans qu'aucun effet ne soit perdu. »

Et comme, par-dessus le marché, son père lui a passé la commande d'une symphonie à l'occasion de l'anoblissement, à Salzbourg, de Sigmund Haffner, le voilà tout à fait débordé: « Eh bien, il faudra que je travaille la nuit, il n'y a pas d'autre moyen . . . »

Le samedi suivant, le 27 juillet, Mozart donne à son père des nouvelles de la symphonie: « Vous allez être surpris et désappointé de ne trouver ici que le premier *allegro,* mais j'ai été empêché d'en faire davantage pour vous, car j'ai dû composer à la hâte une sérénade, pour vents seulement (autrement j'aurais pu en utiliser la musique pour vous aussi). »

Trois jours plus tard, il s'excuse derechef de n'avoir pas complété la symphonie: « Quand on ne peut pas, on ne peut pas. » Et il ajoute cette phrase qui le définit bien: « Je suis vraiment incapable de rien faire à la diable. »

La musique pour Haffner, oeuvre qui se situe à mi-chemin entre la symphonie et la sérénade, deviendra la Symphonie en Ré majeur, no 35, K. 385. L'année suivante, quand il la fera exécuter à Vienne, Mozart en retranchera la marche initiale, ainsi que le premier des deux menuets originaux.

Quant à la « sérénade écrite à la hâte », c'est la déchirante Sérénade en do mineur, pour deux hautbois, deux clarinettes, deux cors et deux bassons, K. 388.

Son originalité vient de sa présentation en quatre mouvements seulement, de sa tonalité impropre au caractère d'une sérénade, et, surtout, des préoccupations polyphoniques que Mozart y manifeste.

Pourquoi compose-t-il ces pages tragiques au lendemain du succès de « L'Enlèvement au sérail »? Lorsqu'il écrit: « J'ai *dû* composer . . . », fait-il allusion à quelque commande pressante? Ou ces mots ne signifient-ils pas, plutôt, que des idées neuves et importantes lui étant venues, il a dû prendre le temps de les noter, malgré le surcroît de travail?

Depuis son arrivée à Vienne, Mozart a entendu beaucoup de Bach et de Handel chez le baron van Swieten, grand amateur de musique polyphonique. Ces auditions ont, sans doute, fait naître en lui des doutes au sujet de la validité de ses propres œuvres car, tout à coup, au cours du printemps 1782, il se met à écrire des fugues.

Il transcrit pour quatuor à cordes cinq fugues de Johann Sebastian Bach; il compose encore quatre préludes pour trio à cordes, destinés à précéder une fugue de Wilhelm Friedemann et trois autres de Johann Sebastian Bach; enfin, il ébauche, puis abandonne, successivement plusieurs fugues pour le piano.

C'est au cours de cette crise esthétique que Mozart rédige sa Sérénade en do mineur, étoffée d'éléments contrapuntiques, et l'une de ses œuvres les plus agitées et les plus profondément pessimistes.

L'absence de son père à Vienne, lors de la création de « L'Enlèvement au sérail », a aussi, certainement, contribué pour beaucoup à le démoraliser, car ce sont de véritables reproches qu'il lui adresse dans sa lettre du 31 juillet: « J'ai reçu aujourd'hui votre lettre du 26, une lettre froide et indifférente que je ne vous aurais jamais cru capable de m'envoyer en réponse aux nouvelles que je vous ai fait parvenir du succès de mon opéra . . . »

Mozart reproche amèrement à son père son manque de curiosité pour un opéra qui, dit-il, fait tant de bruit à Vienne, « que les gens ne veulent rien entendre d'autre, ce qui fait que le théâtre est toujours bondé. »

Il ajoute: « On l'a chanté hier pour la quatrième fois et on le reprendra vendredi. Mais vous, vous n'avez pas trouvé le temps . . . »

C'est sans doute le conflit qui l'oppose à son fils, au sujet de son mariage, qui a décidé Leopold à ne pas assister à la première de « L'Enlèvement ». Mozart en a beaucoup souffert et il continue à souffrir d'avoir à réclamer sans cesse le consentement de son père dans chacune de ses nombreuses lettres à Salzbourg.

Le samedi 3 août 1782, les futurs époux signent leur contrat de mariage, deux jours avant que n'arrive, enfin, la bénédiction paternelle si mesquinement consentie.

Elle arrive trop tard.

La veille, soit le dimanche 4 août, Mozart et Constanze se sont mariés à la cathédrale Saint-Etienne, au cours d'une cérémonie toute simple à laquelle n'assistaient que des amis intimes.

Ce soir-là, une amie, la baronne Martha Elisabeth von Waldstädten, a offert un dîner en l'honneur du jeune couple.

1. Allegro. Les huit instruments exposent, à l'unisson, un thème ascendant d'un caractère sombre et douloureux. Les voix plaintives des hautbois et des clarinettes chantent la désolation. Tout le mouvement est ponctué de sursauts de passion d'une violence à peine contenue.

2. Andante en Mi bémol majeur. Malgré sa tonalité, l'une des plus heureuses chez Mozart, ce morceau tantôt grave, tantôt tendre, perpétue la tristesse du premier *allegro*.

3. Menuet en canon; trio en canon à rebours. Mozart fait valoir, ici, son habileté contrapuntique. C'est le mouvement de bravoure de la sérénade, remarquable par son élan rythmique irrésistible. Une sorte d'exaspération nerveuse s'en dégage, cependant, et son style rigoureux lui donne un aspect sévère.

4. Allegro. Le finale se présente sous la forme de variations. Les quatre premières sont en do mineur. La cinquième, avec ses sonneries de corps en Mi bémol majeur, tente de dissiper l'atmosphère étouffante. L'œuvre s'achève aux accents d'une joie réticente.

**Oeuvres écrites après la Sérénade K. 388
jusqu'au 31 décembre 1782**

Symphonie en Ré majeur, no 35, K. 385 (« Haffner »)
3 Marches pour orchestre, K. 408
Sonates pour piano et violon en Do majeur, K. 403; en La majeur, K. 402, et en Do majeur, K. 404
Fantaisie pour piano en do mineur, K. 396
Air « In te spero », K. 440

Quintette pour cor et cordes en Mi bémol majeur, K. 407
Concerto pour cor en Ré majeur, no 1, K. 412
Concerto pour piano et orchestre en La majeur, no 12, K. 414
Rondo pour piano et orchestre en La majeur, K. 386
Concerto pour piano en Fa majeur, no 11, K. 413
Concerto pour piano en Do majeur, no 13, K. 415

7

1782 | *Quatuor à cordes en Sol majeur, K. 387 (Haydn no 1)*

1. **Allegro vivace assai**
2. **Menuet; trio en sol mineur**
3. **Andante cantabile en Do majeur**
4. **Molto allegro**

Deux jours après son mariage, Mozart a le bonheur d'assister à une représentation de « L'Enlève-ment au sérail » donnée à la demande de Gluck. Le célè-bre compositeur complimente fort son jeune confrère et pousse la gentillesse jusqu'à l'inviter à dîner pour le lendemain.

C'est l'été. Les élèves de Mozart ont quitté Vienne. Le jeune homme vit, avec sa femme, des jours paisibles dans son premier logement viennois: un appartement situé à proximité de la cathédrale Saint-Etienne, dans la belle et grande Maison Grosshaupt, sur le Hohe Brücke.

Quatre mois plus tard, le jeune ménage s'installera dans la Maison Herberstein, quelques portes plus haut sur le

L'empereur Joseph II.

Hohe Brücke, et, ainsi, jusqu'à la mort de Mozart, en neuf ans de mariage, déménagera-t-il dix ou onze fois, au gré de la bonne ou de la mauvaise fortune.

Et Mozart pense qu'il faudra bientôt aller à Salzbourg, présenter Constanze à son père et à sa sœur. Il n'a pas oublié sa brouille avec le prince-archevêque et l'idée de ce voyage ne lui sourit guère.

En dépit de la joie que son mariage et sa première réussite viennoise lui procurent, Mozart est peu satisfait de sa présente situation et s'inquiète de son avenir.

Le 17 août, il écrit à son père: « Le gratin viennois, et, en particulier, l'empereur, ne doit pas se mettre en tête que je n'existe que pour Vienne. Il n'y a pas un monarque au monde que je n'aimerais mieux servir que l'empereur, mais je refuse de mendier aucun poste. Si l'Allemagne, ma chère patrie, dont sous savez que je suis fier, ne veut pas de moi, alors, par Dieu, que la France ou l'Angleterre s'enrichissent des talents d'un autre Allemand, au plus grand déshonneur de la nation allemande. Vous savez fort bien que ce sont les Allemands qui ont le plus souvent excellé dans la plupart des arts. Mais où se sont-ils fait connaître et où ont-ils fait fortune? Certainement pas en Allemagne! Prenez le cas de Gluck. Est-ce l'Allemagne qui l'a fait le grand homme qu'il est? Malheureusement pas! La comtesse Thun, le comte Zichy, le baron van Swieten, même le prince von Kaunitz, en veulent à l'empereur de ne pas priser davantage les hommes de talent et de les laisser quitter ses domaines. Kaunitz a dit, l'autre jour, à l'archiduc Maximilien, comme la conversation portait sur moi:

"Des hommes de cette qualité n'apparaissent qu'une fois par siècle et ne doivent pas être chassés d'Allemagne, surtout quand on a la bonne fortune de les avoir dans la capitale". » (1)

Mozart songe si sérieusement à s'établir ailleurs qu'il prend, cet été-là, des leçons de français et d'anglais.

Effrayé par ces projets, Leopold écrit à la baronne Waldstädten pour la prier de bien vouloir inciter son fils à la patience.

C'est à cette époque que Mozart commence la composition de sa Messe en do mineur, K. 427.

Pendant ses fiançailles, Constanze avait été gravement malade et le jeune homme avait fait le vœu d'écrire une messe d'action de grâces pour sa guérison. Il y travaille, au cours de l'été, tout en rêvant d'acheter l'un de ces beaux fracs rouges qui sont tant à la mode, en ce moment. Il sait exactement les boutons qu'il veut y mettre: des boutons de nacre, avec une pierre jaune au centre, comme il en a vus un jour, dans le Kohlmarkt, chez Brandau.

---

(1) Vienne, à cette époque, était la capitale de l'Empire allemand et l'on remarquera que Mozart se définit comme Allemand. Au dix-huitième siècle, Salzbourg était un archi-épiscopat et une principauté indépendante, d'origine bavaroise, beaucoup plus proche de Munich que de Vienne. Il n'y a pas une seule mention, dans les nombreuses lettres de Mozart, de sa qualité d'Autrichien, mais de multiples affirmations de sa nationalité allemande. Ce n'est qu'après le traité de Vienne de 1814 que Salzbourg perdit son indépendance et fut définitivement rattachée à l'Empire d'Autriche.

En octobre, Mozart dirige une représentation de « L'Enlèvement au sérail » en l'honneur du grand-duc Paul de
Russie. Ses élèves rentrent de la campagne et les concerts
reprennent. Fräulein Aurnhammer en donne un le 3
novembre, auquel elle ne manque pas de faire participer
son maître.

Et, le 31 décembre, ce n'est pas sa Messe en do mineur que
Mozart termine, mais le Quatuor à cordes en Sol majeur,
K. 387, le premier des six quatuors dédiés à Joseph Haydn.

C'est en composant ce quatuor que Mozart a trouvé la so-
lution aux problèmes de style qui le tourmentaient depuis
un an et réalisé l'intégration de la polyphonie dans la musique galante.

Les six Quatuors à Haydn sont l'un des sommets de la production mozartienne. Ils furent écrits entre le 31 décembre 1782 et le 4 janvier 1785, et publiés chez Artaria (qui
les paya un bon prix) avec une dédicace à Haydn en
italien. Ils représentent l'une des entreprises pour lesquelles Mozart s'est donné le plus de mal, dans sa vie artistique; les manuscrits sont, en effet, chargés de ratures et de
corrections.

L'influence de Joseph Haydn sur les symphonies et, surtout,
les quatuors à cordes de Mozart, est évidente. Mozart était
trop intelligent pour n'avoir pas reconnu l'importance des
Quatuors du Soleil ou des Quatuors russes de son aîné;
l'impression qu'il en reçut fut l'une des plus fortes de sa
carrière.

Mais Mozart ne les imite jamais, sa personnalité étant déjà

trop bien affirmée pour se laisser subjuguer, même par un Haydn.

L'on ne saurait imaginer deux personnalités plus différentes que celles de ces deux hommes. Combien de fois n'a-t-on pas opposé, au diatonisme rassurant de Haydn, le chromatisme inquiétant de Mozart. Autant Haydn est aimable, limpide, serein, autant Mozart est nerveux, mélancolique et complexe. Haydn est capable de vraie joie, alors que, chez Mozart, la gaieté se teinte toujours de tristesse.

Les deux musiciens s'estimaient beaucoup. Leur amitié, cependant, ne se resserrera qu'à l'époque de la naissance de Karl Thomas, le deuxième fils de Mozart, en septembre 1784. Haydn fit, alors, un assez long séjour à Vienne, dans la résidence qu'y possédait son maître, le prince Nicholas Esterhazy, et où il invita souvent Mozart à se produire.

Lorsque les deux amis se réunissaient pour faire du quatuor, Haydn tenait le premier violon, avec Karl Ditters von Dittersdorf au second violon. Mozart jouait l'alto et le violoncelliste était le compositeur Johann Baptist Wanhal.

Les Quatuors à Haydn ont permis à Mozart d'affirmer sa maîtrise dans ce genre; ils restent un exemple frappant d'un art raffiné et d'une intériorisation unique dans sa production.

Les trois premiers sont les plus tourmentés et les plus savants de la série. Les trois derniers sont plus lumineux, peut-être, certainement plus détendus.

1. Allegro vivace assai.   Mozart expose, sans préambule, un thème d'allure triomphale, d'une conception large et généreuse, et tout le morceau prend feu. A cette admirable période succède un second sujet plus gracieux, mais non moins robuste. Une petite phrase rythmique, d'une tournure charmante, conclut l'exposition du matériel thématique. Un mouvement animé d'une joie certaine, bien que l'atmosphère s'assombrisse passagèrement au cours du développement.

2. Menuet; trio en sol mineur.   C'est à Haydn que Mozart emprunte l'idée de placer le menuet en second lieu. De brusques oppositions de *piano* et de *forte* rendent sa démarche irrégulière. Le trio commence par un thème franchement agressif, exposé à l'unisson par les quatre instrumentistes, puis se transforme en un chant doux et triste.

3. Andante cantabile en Do majeur. Cet *andante* — une méditation rêveuse où se rencontrent intelligence et sensibilité — n'est pas exempt de passion; il s'emporte même parfois jusqu'à la véhémence.

4. Molto allegro.   Dans ce brillant finale, des éléments graves et humoristiques se livrent un combat sans merci. La principale préoccupation de Mozart consiste à amorcer avec le plus grand sérieux des fugues que viennent sans cesse interrompre de joyeuses et insolentes ritournelles. Il en expose deux (la première sur un thème de quatre notes semblable à celui du finale de la Symphonie « Jupiter ») qui semble, tout d'abord, aller bon train, jusqu'à ce que viennent impitoyablement les mettre en fuite deux petits refrains endiablés. L'écriture polyphonique est extrêmement fouillée, mais aussi constamment légère et naturelle. Ce finale extraordinaire donne la preuve éclatante que Mozart a parfaitement réussi à accomplir ce qu'il cherchait: la fusion du style ancien avec celui de la musique de son temps.

**Oeuvres écrites entre le 31 décembre 1782
et le 17 juin 1783**

*Scène et rondo pour soprano « Mia speranza adorata »,
K. 416*
Ariette « Männer suchen stets », K. 433
Air « Müsst ich auch », K. 435
Musique pour une pantomime, K. 446
Trio vocal « Das Bandel », K. 441
Variations pour piano « Salve tu, Domine », K. 398
Concerto pour cor en Mi bémol majeur, no 2, K. 417

8

Quatuor à cordes en ré mineur, K. 421 (Haydn no 2)

1. **Allegro moderato**
2. **Andante en Fa majeur**
3. **Menuet; trio en Ré majeur**
4. **Allegro ma non troppo**

Constanze est enceinte dès la fin de septembre 1782, ce qui permet à Mozart d'invoquer la santé de sa femme pour remettre son voyage à Salzbourg.

A l'époque de la composition du premier des Quatuors à Haydn, les Mozart s'installent dans leur second appartement de la Hohe Brücke; ce logis, plus spacieux que le premier, est au-dessus de leurs moyens.

Mozart écrit à son père qu'il comporte une grande pièce de 1000 pieds de long sur 1 pied de large (vieille plaisanterie familiale), une chambre à coucher, un antichambre et une belle grande cuisine, ainsi que deux autres pièces vides dans lesquelles, à la mi-janvier 1783, il a donné un bal qui s'est poursuivi jusqu'à sept heures du matin.

Le 27 janvier, Wolfgang célèbre ses vingt-sept ans. Constanze en a dix-neuf. Ils sont jeunes, tous les deux, et dépensiers; ils ne sauront jamais administrer un budget. Bientôt, les soucis financiers vont commencer à les harceler et ne les lâcheront plus.

Le 4 février, « L'Enlèvement au sérail » est chanté pour la dix-septième fois, devant une salle comble.

Pour faire graver de nouveaux concertos, Mozart a emprunté une forte somme et voilà que le créancier réclame son dû. Affolé, le jeune homme se voit dans l'obligation de faire appel à cette baronne Waldstädten qui avait offert un dîner en son honneur, le soir de ses noces.

Dans ses lettres à Salzbourg, naturellement, Mozart passe l'incident sous silence. Il presse son père de lui expédier au plus vite son costume d'Arlequin pour un bal masqué à la Redoute auquel il doit assister en compagnie de sa belle-sœur Aloysia et de son époux Josef Lange, déguisés en Colombine et en Pierrot.

Le 11 mars, Aloysia Lange donne une académie au cours de laquelle Mozart est invité à jouer son premier concerto pour piano, le Concerto en Ré majeur, no 5, K. 175, qu'il a pourvu d'un nouveau rondo, K. 382.

Quelques jours plus tard, le 23, il donne son propre concert. Le programme est extrêmement chargé. Aloysia Lange et Valentin Adamberger (le Belmonte de « L'Enlèvement au sérail ») chantent quelques airs. Mozart dirige la Symphonie pour Haffner, puis rejoue le Concerto en Ré majeur. Il interprète, également, un nouveau Concerto pour piano en Do majeur, no 13, K. 415; une petite fugue en l'honneur de l'empereur qui les aime (mais pas moins que Constanze); finalement, deux séries de variations pour piano dont l'une doit être bissée tant elle enchante l'auditoire.

En mai, on apprend, par une lettre adressée à Salzbourg, que Mozart et sa femme ont déménagé deux fois depuis le début de l'année.
Pour obliger le propriétaire de la Maison Herberstein, le baron Wetzlar, qui a pris une dame chez lui, ils ont vidé les lieux avant le terme et pris un misérable logement sur le Kohlmarkt. Le baron Wetzlar n'a rien voulu prendre pour les trois mois qu'ils avaient passés chez lui et a même payé les frais du déménagement. Entre-temps, ils ont trouvé un bel appartement sur la Judenplatz, au premier étage de la Burgischen Hause.

C'est là, le 17 juin, pendant l'accouchement de son premier fils, Raimund Leopold, que Mozart écrit l'une de ses œuvres les plus douloureuses: le Quatuor à cordes en ré mineur, deuxième de la série des six Quatuors à Haydn.

Ce n'est pas la nervosité, pourtant bien naturelle, que Mozart doit ressentir pendant que l'on s'affaire autour de Constanze, que cette nouvelle œuvre reflète, mais une agitation plus profonde.

D'ailleurs, au moment où Mozart le note, ce quatuor est depuis longtemps achevé dans sa tête. Il ne le compose pas; il l'écrit. Pour Mozart, il y a, entre ces deux opérations, toute la différence du monde.

Mozart ne laisse rien paraître, extérieurement, de l'état d'abattement psychologique dans lequel il se trouve, à cette époque. Il prend l'habitude de ne pas laisser ses ennuis le déranger dans ses occupations quotidiennes, ni gêner son entourage.

Il serait intéressant de savoir ce qu'on pu penser ses amis, son père, et, surtout, son cher Joseph Haydn, de cette musique si totalement dépourvue de joie ... Le climat de tristesse du Quatuor en ré mineur est, en effet, maintenu du début jusqu'à la fin.

* * *

1. Allegro moderato. Tout, dans ce morceau, semble contribuer à susciter une impression de désespoir: un premier sujet angoissant, avec sa chute à l'octave et le battement de son trille; un second thème fébrile et insistant; un contrepoint serré et d'incessantes modulations; un développement complexe et important; enfin, une conclusion d'une implacable brièveté.

2. Andante en Fa majeur. Cet *andante* n'est pas un véritable mouvement lent. (Il n'y a pas, non plus, de véritables mouvements rapides dans ce quatuor, le premier étant marqué *moderato* et le finale *ma non troppo*.) Le ton est, ici, celui d'une confidence triste et douce. Un épisode central en La majeur, d'un débit plus pressé, permet au premier violon de chanter une phrase exquise, d'une gracieuse légèreté. (Aux mesures 47 et 48, Mozart confie au premier et au second violons des accords de trois notes, ce qu'il ne fait, généralement, que pour conclure avec force un mouvement.)

3. Menuet; trio en Ré majeur. Retour à l'atmosphère de tension du premier mouvement. Menuet agressif, d'une farouche beauté. Trio extrêmement original; marqué *sempre piano,* il se présente dans le style d'une sérénade, sur un accompagnement de pizzicatos si rarement utilisés par Mozart.

4. Allegro ma non troppo.   Quatre variations et une coda sur un thème haletant d'inquiétude, au rythme de sicilienne. Bien que la quatrième variation soit en Ré majeur, le sentiment de tristesse subsiste. Dans la coda, le rythme se fait plus rapide et le morceau s'achève dans l'incertitude, parmi des battements angoissés de triolets.

9

1783

Messe
en do mineur,
K. 427

Mozart avait promis d'aller faire chanter
sa messe d'action de grâces à Salzbourg lorsqu'il irait
présenter Constanze à son père et à sa sœur.

Le 4 janvier 1783, il explique à Leopold Mozart: « J'ai fait
cette promesse dans le plus profond de mon cœur et j'espère pouvoir la tenir. A ce moment, Constanze n'était pas
encore ma femme; mais, comme j'étais absolument décidé
à l'épouser après sa guérison, j'ai pu faire ma promesse
facilement; cependant, vous n'ignorez pas vous-même que
le temps et autres circonstances ont empêché notre voyage.
La partition de la moitié d'une messe, qui attend encore
d'être achevée, est la meilleure preuve de la réalité de mon
vœu. »

Le départ pour Salzbourg est finalement fixé pour la fin de
juillet. Avant de partir, les Mozart confient leur fils, âgé
d'un peu plus d'un mois, non point à sa grand-mère Weber,
mais à une nourrice de la banlieue viennoise.

Leopold Mozart et sa fille accueillent le jeune couple avec
froideur. Nannerl est maintenant âgée de trente-deux
ans. Elle n'est pas encore mariée. Peut-être a-t-elle fini

par concevoir de la jalousie pour ce frère qui a réussi, bon gré mal gré, alors qu'elle s'ennuie à Salzbourg (elle qui aurait pu devenir une grande pianiste), à donner des leçons de piano pour assurer son indépendance.

Quant à Leopold, il doit, pour sa part, ressentir de l'amertume à l'égard de ce fils ingrat qu'il avait couvé avec tant de dévouement, autrefois, et qui, à présent, prétend faire seul sa vie et se montre hostile à ses sages conseils.

Mozart est déçu que son père ne fasse pas présent à Constanze de l'un des nombreux cadeaux qu'il avait reçus, enfant, ou de quelque souvenir de famille. Sa seule joie aura sans doute été, au cours de cet ultime séjour à Salzbourg, de revoir ses anciens amis.

Ils se pressent autour de lui, heureux de lui rappeler sa prodigieuse enfance et de l'entendre raconter le succès de « L'Enlèvement au sérail » qu'ils n'ont pas encore entendu. Mozart retrouve le vieux Hagenauer, dans la maison duquel il est né, dans la Getreidegasse; Andreas Schachtner, trompettiste de la cour et traducteur allemand d'« Idomeneo »; l'abbé Bullinger, à qui il avait écrit sitôt après la mort de sa mère, à Paris; et, surtout, Michael Haydn.

Michael Haydn, frère cadet de Joseph, est, depuis une vingtaine d'années, directeur de l'orchestre de la cour et organiste à la cathédrale. Mozart a de l'estime pour lui, en tant que compositeur.

Haydn est malade. Il doit terminer, pour Colloredo, six duos pour violon et alto, et il n'en a achevé que quatre. Le

1783

prince-archevêque s'impatiente et menace de retenir le traitement de son musicien pour l'inciter au travail.

Afin de venir en aide à son ami — et, aussi, parce que la supercherie le venge de son ancien maître — Mozart écrit les deux duos manquants que Haydn fait remettre, comme si rien n'était, à Colloredo, avec les quatre autres.

* * *

En 1800, l'éditeur Johann Anton André, que Mozart était allé rencontrer à Offenbach, en 1790, acheta de Constanze, pour 3150 florins (environ $1500 dollars), 250 manuscrits de son défunt mari. En examinant celui de la Messe en do mineur, il se rendit compte qu'il y manquait au moins quatre morceaux du « Credo », tout l'« Agnus Dei » et le « Dona nobis pacem ».

Le manuscrit ne comportait donc que le « Kyrie », le « Gloria », deux sections du « Credo » (incomplètement orchestrées), le « Sanctus » et le « Benedictus ».

André demanda à Constanze pourquoi l'œuvre était incomplète. La veuve de Mozart lui conseilla d'aller en chercher l'explication à Salzbourg où, prétendit-elle, la messe avait été « composée, ou du moins exécutée ».

Or, nous savons que cette « moitié d'une messe », dont parle Mozart, fut écrite à Vienne, en 1782. On ignore si, en partant avec sa femme pour Salzbourg, à la fin de juillet 1783, Mozart espérait trouver le temps de compléter son œuvre avant qu'elle ne fût chantée. Peut-être avait-il déjà, depuis longtemps, décidé de l'abandonner.

Comme on ne pouvait chanter une messe incomplète, Mozart emprunta sans doute les parties qui manquaient à des messes antérieures — par exemple, à cette autre Messe en do mineur, K. 139, écrite en 1772, œuvre d'une précoce maturité. Peut-être reprit-il textuellement, pour l'« Agnus Dei », la musique achevée du « Kyrie », comme, plus tard, il devait conseiller à son élève Süssmayr de le faire, quand il eût compris que la mort l'empêcherait de terminer le « Requiem ».

Tout ce que l'on sait avec exactitude est que la messe fut répétée une seule fois (véritable tour de force pour une œuvre de cette envergure et de cette complexité), le 23 août, et que la première exécution (probablement fort mauvaise) en fut donnée deux jours plus tard, non pas à la cathédrale de son ennemi Colloredo, mais à l'église Saint-Pierre de Salzbourg.

C'est Constanze Mozart qui chantait la partie de premier soprano.

* * *

La Messe en do mineur est écrite pour deux sopranos, ténor, basse, chœur, orgue et orchestre.

Le « Kyrie » est un magnifique et grave *andante moderato* contrapuntique en do mineur. Le solo de soprano sur le « Christe eleison » est noté dans le style d'un air d'opéra;

1783

Mozart y utilise à nouveau des vocalises qu'il avait écrites pour Constanze avant son mariage et que la jeune femme avait alors travaillées.

Le « Gloria » est en sept sections et commence par un grand chœur en Do majeur, marqué *allegro vivace,* qui fait beaucoup d'effet, comme certains de ces chœurs de Handel que Mozart admirait tant.

Le double chœur à huit voix en sol mineur, « Qui tollis peccata mundi », d'une imposante architecture et d'une expressivité toute moderne malgré l'utilisation du style polyphonique archaïque, est le point culminant de la partition. Certains mozartiens ne manquent jamais de souligner que ce chœur est digne de figurer auprès des plus belles pages de la Messe en si mineur de Johann Sebastian Bach.

Le « Jesu Christe » sert d'introduction à la double fugue, claire et belle, du « Cum spiritu ». En comparaison, le solo du « Laudeamus », le duo de sopranos du « Domine Deus » et le terzetto pour deux sopranos et ténor de style italien du « Quoniam tu solus », semblent presque superficiels.

On le voit, la Messe en do mineur est formée d'éléments de toutes sortes.

Il se peut que le deuxième morceau du « Credo », l'« Et incarnatus est », grand air de bravoure pour soprano, chargé d'une riche ornementation à l'italienne, ait semblé scandaleusement frivole aux pieux Salzbourgeois. Il n'en demeure pas moins que ce Noël mondain et gracieux, si exquisement mozartien, d'une écriture délicate et d'une sonorité si transparente avec ses vents obligés, est paré d'un charme irrésistible.

Dans le « Sanctus », un chœur en Do majeur introduit la double fugue à huit voix, « Hosanna in excelsis », grandiose et complexe.

Le « Benedictus » est un quatuor pour deux sopranos, ténor et basse.

Le manuscrit de Mozart s'achève sur la double fugue « Hosanna in excelsis », autre exemple de contrepoint dénué de toute opacité.

Oeuvres écrites entre le 25 août 1783 et janvier 1784

Duos pour violon et alto en Sol majeur, K. 423, et en Si bémol majeur, K. 424.
Symphonie en Do majeur, no 36, K. 425 (« Linz »)
Introduction à une symphonie en Sol majeur de Michael Haydn, K. 444
« L'Oca del Cairo », K. 422
Air « Misero, o sogno! », K. 431
Air « Cosi dunque tradisci », K. 432
Fugue pour deux pianos en do mineur, K. 426
Concerto pour cor en Mi bémol majeur, no 3, K. 447

10

Quatuor à cordes en Mi bémol majeur, K. 428 (Haydn no 3)

1. **Allegro non troppo**
2. **Andante con moto en La bémol majeur**
3. **Menuet; trio en Si bémol majeur**
4. **Allegro vivace**

Pendant qu'à Salzbourg Mozart répète et dirige sa Messe en do mineur, son fils Raimund Leopold meurt de dysenterie, à Vienne. Lorsque Constanze et lui apprennent la nouvelle, l'enfant est déjà enterré.

Peut-être est-ce parce qu'ils ne sont guère pressés, tous les deux, de rentrer dans leur appartement d'où sera absent leur fils, qu'ils s'attardent trois mois à Salzbourg ...

A la fin d'octobre, Mozart quitte sa ville natale; il n'y remettra plus jamais les pieds.

En route, les Mozart s'arrêtent à Linz où le comte Thun

les reçoit chaleureusement. En quatre jours, pour faire plaisir au comte, Mozart écrit une symphonie en Do majeur qu'il lui dédie (no 36, K. 425).

A la fin de novembre, Mozart et sa femme sont de retour à Vienne.

Quelque temps après, pour fuir un appartement où les poursuit le souvenir de leur enfant mort, ils déménagent sur le Graben, au troisième étage de la maison de l'éditeur Johann Thomas von Trattner dont la femme, Therese, est une élève de Mozart.

En janvier 1784, Mozart termine le troisième des Quatuors à Haydn: le Quatuor en Mi bémol majeur, K. 428. Cette année 1784, et l'année suivante, seront pour lui, deux grandes années de succès.

Le 27 janvier, il fête ses vingt-huit ans. Constanze est de nouveau enceinte; l'enfant est attendu pour la fin de novembre.

* * *

1. Allegro non troppo. Un premier thème mystérieux et interrogatif est énoncé à l'unisson par le quatuor. Cette question est formulée une seconde fois par les quatre instruments, mais, cette fois, dans la confusion d'un remarquable éclatement de dissonances. Il n'y a ni véritable tristesse, ni véritable joie, dans ce mouvement, plutôt de la gravité et une expression chaleureuse. Le développement, fort bref, se prolonge dans la récapitulation, selon une habitude chère à Mozart.

2. Andante con moto en La bémol majeur. Une méditation de 96 mesures d'une grande richesse harmonique. Plutôt qu'un véritable thème, Mozart propose une série de syncopes sur un accompagnement en 6/8 du violoncelle, créant un climat sombre et lourd. Le développement de ce morceau de sonate est, lui aussi, fort court mais d'un effet saisissant. Mozart procède par petites touches impressionistes: dissonances et chromatisme. Après une série d'accords poignants, le morceau s'illumine et s'achève d'une façon merveilleusement satisfaisante.

3. Menuet; trio en Si bémol majeur. Menuet énergique, fortement accentué. Effets de vielle et jeux en canon. Le thème du trio, tendre et douloureux, est noté en Si bémol majeur, mais présenté en do mineur; il module vers sa vraie tonalité avec une aisance remarquable.

4. Allegro vivace. Le premier sujet de ce rondo est un motif sec et insistant qui s'achève en course folle. Le second sujet sert d'introduction à un thème magnifique (mesure 60), emporté et chantant, puissant et léger à la fois. Mozart nous le fera entendre une seconde fois, au cours de la récapitulation, mais, cette fois, il aura passablement changé de caractère et se sera assombri en passant au grave: saute d'humeur typiquement mozartienne. Tout le morceau déborde d'activité. La coda est d'une ravissante simplicité, quoique un peu pressée d'en finir.

Oeuvres écrites en janvier 1784

5 Menuets pour orchestre, K. 461
6 Contredanses pour orchestre, K. 462
2 Menuets avec contredanses pour orchestre, K. 463

11

1784 | Concerto pour piano et orchestre en Mi bémol majeur, no 14, K. 449

1. **Allegro vivace**
2. **Andantino en Si bémol majeur**
3. **Allegro**

      Dès son retour à Vienne, Mozart retrouve les élèves qui assurent son gagne-pain et prépare avec énergie sa nouvelle saison de concerts.

Dans un modeste cahier, dont la couverture bleue est ornée de fleurettes, il prend l'excellente habitude d'inscrire, sur la page de gauche, la date de l'achèvement de chacune de ses compositions, leur instrumentation, et, suivant le cas, les noms des interprètes et des personnes à qui elles sont dédiées; sur la page de droite, il en note soigneusement les premières mesures.

La première œuvre qui y figure, en date du 9 février 1784, est le Concerto pour piano et orchestre en Mi bémol majeur, K. 449, dédié à une nouvelle élève d'origine salzbourgeoise, Barbara Ployer.

La dernière œuvre que Mozart notera dans ce catalogue sera sa cantate maçonnique, « Das Lob der Freundschaft », K. 623, (« L'Eloge de l'amitié »), achevée le 15 novembre 1791, vingt-trois jours avant sa mort.

Dans une lettre à son père, écrite le lendemain de la composition du Concerto en Mi bémol majeur, Mozart laisse échapper ce cri du cœur: « Si vous pouviez entendre ce que j'ai composé . . . ! Je passe la matinée à donner des leçons, ce qui fait qu'il ne me reste que le soir pour mon cher travail — la composition. »

Du 26 février au 3 avril, Mozart prend part à non moins de vingt et un concerts, qu'il appelle des académies. Il est bien en droit de s'écrier: « Eh bien, n'ai-je pas assez à faire? Je ne pense pas, dans ces conditions, que je puisse jamais me rouiller! »

Un pianiste hollandais du nom de Richter l'invite à participer à trois de ses propres académies. Mozart raconte que le virtuose admirait beaucoup sa facilité au piano et ne cessait de répéter, en l'écoutant jouer: « Mon Dieu! J'ai beau piocher et suer, c'est sans succès; alors que pour vous, mon ami, ce n'est qu'un jeu d'enfant! » — « Sans doute, de répondre Mozart, mais moi aussi il m'a fallu trimer dur pour en arriver à ne plus avoir à m'esquinter! »

« Si vous pouviez entendre ce que j'ai composé . . . ! » Mozart a raison d'être fier du Concerto en Mi bémol majeur, conçu dans un style nouveau, et qui inaugure le cycle grandiose de ses concertos viennois: quatorze compositions parmi lesquelles une dizaine demeure le plus bel exemple de sa production instrumentale.

Les trois concertos qui suivront seront décrits comme trois « grands concertos », pour bien montrer que le Concerto en Mi bémol majeur appartient, comme Mozart le précise lui-même, à « un type tout particulier, écrit plutôt pour un petit que pour un grand orchestre ».

L'accompagnement est, en effet, pour cordes, avec deux hautbois et deux cors *ad libitum*. Il va sans dire que ces hautbois et ces cors facultatifs enrichissent l'orchestration du concerto.

En cette seule année 1784, Mozart va composer six concertos pour piano. L'année suivante, il en écrira trois autres et trois autres encore, en 1786. Ces trois années sont celles de ses grands succès viennois, comme pianiste principalement, et comme compositeur de concertos pour piano.

Après 1786, les Viennois se seront lassés du virtuose et de ses concertos et Mozart cessera d'en écrire. Il n'en composera plus par la suite, que deux autres: le Concerto en Ré majeur, no 26, K. 537, dit du « Couronnement », en 1788, et le dernier de la série, le Concerto en Si bémol majeur, no 27, K. 595, en janvier 1791.

* * *

Dans l'esthétique mozartienne, un concerto pour piano se définit à peu près ainsi: un premier mouvement symphonique, destiné à étonner et à intéresser; un mouvement lent intime, propre à charmer et à émouvoir; un finale animé dont le rôle consiste à amuser et qui ira jusqu'à la bouffonnerie pour y parvenir.

Quoique les quatorze grands concertos viennois aient, d'une manière ou d'une autre, ces trois points en commun, ils diffèrent remarquablement les uns des autres, quant à la couleur, l'expression et le caractère.

* * *

1. Allegro vivace. En écoutant l'orchestre exposer, à l'unisson, l'admirable et sinueux premier sujet de ce mouvement, on a tout d'abord l'impression qu'il est noté dans une tonalité mineure. Un imposant prélude symphonique établit un climat de mélancolie que le piano tentera en vain de dissiper à force d'énergie optimiste. L'évolution rythmique du morceau est assez capricieuse; un sentiment d'instabilité s'en dégage. Malgré l'indication *vivace*, la démarche de cet *allegro* est singulièrement démunie de légèreté.

2. Andantino en Si bémol majeur. Un chant magnifique, d'une grande expressivité, qui, par son débit si proche du langage parlé, rappelle les épisodes en récitatifs de l'*andantino* du Concerto Jeunehomme.

3. Allegro. Ce rondo final élégant, où s'intègrent des éléments de contrepoint, est une source constante de joie pour l'interprète; à compter du moment où il fait son entrée, le piano est dans un perpétuel mouvement. Le thème unique est sans cesse repris et varié avec une imagination intarissable. A la fin, de marche qu'il était, le thème passe au rythme de 6/8 et se transforme en danse.

**Oeuvres écrites entre le 9 février
et le 30 mars 1784**

*Concerto pour piano et orchestre en Si bémol majeur, no
15, K. 450*

*Concerto pour piano et orchestre en Ré majeur, no 16,
K. 451*

12

1784

Quintette pour instruments à vent et piano en Mi bémol majeur, K. 452

1. **Largo; allegro moderato**
2. **Larghetto en Si bémol majeur**
3. **Allegretto**

Mozart ne connaît plus un moment de répit. Il enseigne tous les matins et joue tous les soirs. Quand trouve-t-il le temps d'écrire ses nouvelles œuvres? Sans doute la nuit qu'il préférait, d'ailleurs, au jour pour composer.

Le 10 avril, il annonce à son père qu'il a écrit deux grands concertos pour piano (en Si bémol majeur, K. 450, et en Ré majeur, K. 451) qu'il décrit comme devant inévitablement faire « transpirer » le soliste.

Puis, il ajoute: « ... et aussi un quintette qui a suscité les plus vifs applaudissements; je le tiens moi-même pour la meilleure de toutes mes œuvres. Il est écrit pour un

Mozart au piano, vers 1783. Peinture inachevée de Josef Lange, beau-frère de Mozart.

hautbois, une clarinette, un cor, un basson et le piano. Comme j'aurais aimé que vous puissiez l'entendre! Et comme il a été magnifiquement joué! Pour parler franchement, j'étais absolument exténué, à la fin, à force de jouer — et c'est tout à mon honneur que mes auditeurs, eux, ne l'aient jamais été! »

Le portrait de Mozart, entrepris par son beau-frère Josef Lange, à l'hiver 1782, et jamais achevé, nous le montre, justement, au piano, sans perruque, le regard attentif et la bouche sérieuse. C'est le plus célèbre des nombreux portraits de Mozart, tous si étrangement contradictoires. Il montre bien le nez proéminent et la tête qui était, semble-t-il, trop grosse relativement au corps.

*   *   *

C'est la première fois que Mozart compose un quintette pour vents et piano et, du premier coup, il réussit ce chef-d'œuvre d'une inoubliable sonorité.

Mozart ne s'y livre point, cependant, aussi intimement que dans ses quatuors à cordes. Le Quintette pour vents et piano en Mi bémol majeur est une sorte de symphonie concertante de chambre: jeune, fraîche, vigoureuse, destinée à produire beaucoup d'éclat.

1. Largo; allegro moderato. Une courte et solennelle introduction lente, qui permet à Mozart de nous faire admirer la splendeur sonore du quintette, précède un *allegro moderato* bon enfant, exploitant toutes sortes de combinaisons instrumentales. Chaque instrumentiste brille à son tour sans jamais, pour cela, voler la vedette à personne. Mozart écrit admirablement pour les vents; il sait les faire chanter et, aussi, les laisser respirer, avec un art consommé.

2. Larghetto en Si bémol majeur. Le mouvement commence dans le calme et la dignité. Peu à peu, l'action se corse jusqu'à un climax au cours duquel Mozart risque une étonnante série de modulations: arpèges au piano sur des accords soutenus des vents qui ont dû confondre les premiers auditeurs par leur audace harmonique; l'effet est électrisant. Dans la coda, nouveaux accords dissonants non moins inusités. Le mouvement se termine tranquillement, comme il avait commencé.

3. Allegretto. C'est par un rondo débordant d'allégresse que s'achève l'une des œuvres les plus heureuses de Mozart. Le point culminant du morceau: la merveilleuse cadence au cours de laquelle les cinq instrumentistes s'en donnent à cœur-joie et rivalisent de virtuosité.

13

1784

Concerto pour piano et orchestre en Sol majeur, no 17, K. 453

1. **Allegro**
2. **Andante en Do majeur**
3. **Allegretto; presto**

La saison viennoise bat son plein et Mozart ne trouve même plus une minute pour écrire à son père.

Après une vingtaine de jours de silence, il s'y décide enfin, le 10 avril: « Je vous en prie, ne soyez pas fâché de ce que je ne vous aie rien écrit depuis si longtemps. Sûrement, vous aurez compris combien j'ai eu à faire, ces derniers temps. »

Il prend toutefois le temps d'aider un jeune violoniste, Franz Menzel, à obtenir un poste dans l'orchestre de Salzbourg. Il le recommande fortement à son père, précisant que Menzel a réussi à déchiffrer à vue ses trois récents quatuors à cordes, un exploit remarquable. Il ajoute, non sans humour, qu'il a exhorté le jeune homme de ne jamais prononcer son nom à Salzbourg, car cela pourrait lui être fatal.

Mozart, incapable de ne pas reconnaître un talent véritable, vante aussi à son père des quatuors qui viennent de paraître et qui sont signés par Ignaz Joseph Pleyel, un élève de Haydn: « Ils sont fort bien écrits et extrêmement agréables à entendre. Vous verrez tout de suite qui a été son maître. Eh bien, quel bonheur pour la musique si, un jour, Pleyel est en état de remplacer Haydn! »

Le 12 avril, Mozart termine un second concerto pour piano destiné à son élève Barbara Ployer, dite Babette: l'éblouissant Concerto en Sol majeur, no 17, K. 453, certainement le plus continuellement joyeux de ses concertos pour piano.

*   *   *

Lorsqu'il mourut en 1791, à l'âge de trente-cinq ans, Mozart avait complété plus de six cents compositions.

Toute sa vie durant, cet homme ne fit qu'écrire de la musique; les périodes de crise qu'il traversa, et au cours desquelles il écrivit peu ou pas, furent relativement rares.

Si l'on ajoute à cet immense labeur la fatigue des leçons, des concerts, des déménagements, des voyages, de l'abondante correspondance (plus de quatre cents lettres) et des nombreuses occupations domestiques, l'on peut conclure avec justesse que Mozart ne prit jamais le temps de se reposer.

A titre d'exemple de son incessante activité, voici la production de Mozart pour l'année 1784:

En janvier: 5 Menuets pour orchestre, K. 461; 6 Contredanses pour orchestre, K. 462; 2 Menuets avec contredanses pour orchestre, K. 463;

le 9 février: Concerto pour piano en Mi bémol majeur, no
14, K. 449;

le 15 mars: Concerto pour piano en Si bémol majeur, no
15, K. 450;

le 22 mars: Concerto pour piano en Ré majeur, no 16,
K. 451;

le 30 mars: Quintette pour vents et piano en Mi bémol
majeur, K. 452;

le 12 avril: Concerto pour piano en Sol majeur, no 17,
K. 453;

le 29 avril: Sonate pour violon et piano en Si bémol majeur, K. 454;

en juin: Variations pour piano en La majeur, K. 460;

le 25 août: Variations pour piano en Sol majeur, K. 455;

le 30 septembre: Concerto pour piano en Si bémol majeur,
no 18, K. 456;

le 14 octobre: Sonate pour piano en do mineur, K. 457;

le 9 novembre: Quatuor à cordes en Si bémol majeur,
K. 458.

le 11 décembre: Concerto pour piano en Fa majeur, no 19,
K. 459.

Après avoir complété, en deux semaines, deux grands concertos pour piano et un quintette pour piano et vents, Mozart avait bien raison de s'écrier, dans sa letttre à son père
du 10 avril: « Sûrement, vous aurez compris combien j'ai
eu à faire, ces derniers temps! »

1. Allegro. La gaieté éclate dès le début de l'exposition. Le matériel thématique est riche, varié, et le dialogue entre le soliste et l'orchestre particulièrement chaleureux. Ecriture fine, lucide, élégante. Mozart a laissé deux cadences pour ce morceau. (Il est intéressant de noter que le premier sujet de ce mouvement est rythmiquement identique à ceux de trois autres concertos de 1784: K. 451, 456 et 459.)

2. Andante en Do majeur. L'aimable occupation à laquelle se livre cet *andante* consiste à apporter des réponses, toutes plus enchanteresses les unes que les autres, à une question formulée dès le début par l'orchestre. Les propos échangés entre le piano et l'orchestre sont d'une tendresse et d'une pudeur incomparables.

3. Allegretto; presto. Le 1er janvier 1784, Mozart avait commencé à noter ses dépenses dans un carnet qui contient, également, des exercices d'anglais et qui sera (on le pense bien) abandonné au bout de quelques mois. Le 27 mai, il inscrit: « 1 étourneau chanteur, 34 kreutzers. » Il note, à côté, et en Sol majeur, le chant de l'oiseau avec ces mots: « Comme c'était beau! » Le thème initial de ce finale découle du chant de l'étourneau. Mozart en fait une mélodie d'allure populaire qu'il varie cinq fois avant de brusquer le tempo et de déboucher sur une coda enlevante et bouffonne. A certains moments, les bois pouffent littéralement de rire, comme des gamins, et leur hilarité gagne tout l'orchestre.

L'étourneau chanteur mourra en juin 1787. Mozart l'enterrera, alors, dans son jardin, avec une petite épitaphe en vers.

**Oeuvres écrites entre le 12 avril
et le 14 octobre 1784**

Sonate pour violon et piano en Si bémol majeur, K. 454
Variations pour piano en La majeur, K. 460
Variations pour piano en Sol majeur, K. 455
Concerto pour piano en Si bémol majeur, no 18, K. 456

14

1784 | Sonate pour piano en do mineur, K. 457

1. Allegro molto
2. Adagio en Mi bémol majeur
3. Allegro assai

C'est pour la célèbre violoniste de Mantoue, Regina Strinasacchi, que fut écrite, le 29 avril 1784, la belle Sonate en Si bémol majeur, K. 454.

Mozart n'avait eu le temps de noter que la partie du violon. Le soir du concert, il joua la partie de piano de mémoire, au plus grand étonnement de l'empereur qui, avec ses jumelles, découvrit que Mozart avait placé une feuille blanche sur le piano. Ce n'est qu'après l'exécution qu'il acheva de l'écrire.

On voit ce que Mozart veut dire quand il déclare qu'une œuvre est composée, mais non encore écrite.

Après l'immense effort du printemps, il se détend et cesse de composer pendant une partie de l'été. Ses élèves sont parties en vacances et il a du temps libre. Le matin, il monte à cheval à l'Augarten, entre six et huit heures. Dans l'après-midi, il se promène avec Constanze ou joue au billard avec ses amis, dans son appartement sur le Graben.

Mozart renoue avec Giovanni Paisiello qu'il avait rencontré en Italie, en 1770, et qui rentre d'un long séjour à Saint-Pétersbourg où son « Barbier de Séville » a été chanté à la cour de Catherine II de Russie.

Justement, Paisiello écrit un nouvel opéra pour Vienne: « Il Re Teodoro in Venezia ». Les deux hommes s'estiment beaucoup et discutent inlassablement d'opéra.

L'on sait comment Mozart, toute sa vie, chercha l'occasion d'écrire pour le théâtre. « Il a toujours un opéra en tête », écrivait déjà Leopold, en mai 1769, alors que son fils n'avait que treize ans.

Depuis 1783, Mozart en a envisagé trois: « L'Oca del Cairo », « Lo Sposo deluso » et « Il Regno delle Amazoni », rejetés après quelques ébauches à cause de leurs mauvais livrets.

Au mois d'août, l'on apprend tout à coup, que Nannerl va épouser Johann Baptist von Berchthold, veuf de quarante-huit ans et père de cinq enfants. Les nouveaux époux habiteront, à Saint-Gilgen, près de Salzbourg, la maison même où est née Anna Maria Mozart.

Mozart ne se rendra pas au mariage de sa sœur. Il se contentera de lui écrire pour lui offrir ses vœux, avec les conseils risqués d'usage, et lui promettre, de la part de Constanze, un beau tablier par le prochain courrier.

Toutes les lettres écrites par Mozart à sa famille, entre cette

Maria Anna (Nannerl)
von Berchthold. Vers 1785.

lettre à Nannerl du 18 août 1784 jusqu'à sa lettre à son père du 4 avril 1787, en réponse aux nouvelles qu'il vient de recevoir de la grave maladie qui va bientôt l'emporter, ont disparu.

L'on a des raisons de supposer que quelques-unes de ces lettres ont été détruites parce qu'elles avaient trait à l'initiation de Mozart à la franc-maçonnerie, en décembre 1784.

Quelques-unes . . . Mais que sont devenues les autres lettres? Nannerl aurait-elle retourné à son frère, après la mort de leur père en mai 1787, des liasses de ces lettres que Mozart aurait, par la suite, perdues au cours de l'un de ses nombreux déménagements?

Par contre, il existe une lettre que Leopold adresse à sa fille, le 14 septembre 1784, pour l'informer qu'à Vienne, Wolfgang a été gravement malade. Au cours d'une représentation de l'opéra de Paisiello, il s'est mis tout à coup à transpirer si abondamment qu'il a dû quitter la salle, trempé jusqu'aux os. Pendant quatre jours, il a souffert de violentes coliques, accompagnées de vomissements. C'est à son ami, le docteur Sigmund Barisani, qu'il doit d'avoir, aujourd'hui, la vie sauve.

Mozart est-il tout à fait rétabli lorsque, le 21 septembre, vient au monde Karl Thomas, son deuxième enfant?

Un grand mystère plane sur toute la fin de cette année 1784.

Le parrain du nouveau-né est le libraire et éditeur Johann von Trattner, dont la femme, Therese, est, depuis trois ans, l'élève de Mozart.

1784

Brusquement, fin septembre, les Mozart déménagent dans la Schulerstrasse.

Que s'est-il passé? Constanze s'est-elle montrée jalouse des rapports qui existaient entre le maître et l'élève, ou n'est-ce pas plutôt l'éditeur qui a fait une scène à ce sujet?

Le 14 octobre, Mozart termine la Sonate en do mineur qu'il dédie à Therese von Trattner. Cette œuvre doulou-reuse montre combien, à l'époque de sa composition, Mo-zart était malade et angoissé.

L'on ignore pourquoi, en mai 1785, lorsqu'il publia la so-nate, Mozart la fit précéder d'une Fantaisie en do mineur, également dédiée à Frau von Trattner.

Après la mort de Mozart, Constanze réclamera à l'ancienne élève de son mari des lettres qu'il lui avait écrites et dans lesquelles il lui donnait de précieuses indications sur la manière d'interpréter la sonate. Therese von Trattner pré-tendra avoir perdu ces lettres qui, en effet, n'ont jamais, depuis, été retrouvées.

* * *

1. Allegro molto. On a souvent écrit que ce morceau anticipait, par son envergure, les sonates de Beethoven; plutôt que la passion beethovennienne, c'est la nervosité mozartienne qui le rend si dramatique. En effet, tout n'y est que fièvre, tristesse, amertume et appels angoissés. La monumentale coda se termine par dix mesures énigmati-ques, d'une brièveté stupéfiante.

2. Adagio en Mi bémol majeur. Les mélodies, qui se déroulent au cours de cette grande scène lyrique, sont présentées à plusieurs reprises, chaque fois dans un nouveau décor. Dans les trois dernières mesures, un battement de triples-croches annonce l'inquiétant halètement du rondo final.

3. Allegro assai. Le finale est ponctué de cris violents et entrecoupé d'interruptions brutales et de points d'orgue. Comme le premier morceau, il s'achève d'une façon si inattendue qu'elle laisse à l'âme une impression de trouble.

15

1784

Quatuor à cordes en Si bémol majeur, K. 458 (Haydn no 4)

1. **Allegro vivace assai**
2. **Menuet et trio: moderato**
3. **Adagio en Mi bémol majeur**
4. **Allegro assai**

Automne 1784: Mozart prépare sa deuxième saison viennoise. Comme pour la saison précédente, il organise des concerts par souscriptions qu'il donnera, non plus, cette fois, dans la salle de la Maison Trattner où il habitait, mais dans une plus grande salle de la Mehlgrube.

Le dimanche matin, Mozart se rend aux concerts de musique ancienne du baron van Swieten.

Le dimanche après-midi, il fait de la musique chez lui. L'éditeur Hoffmeister fréquente son salon, ainsi qu'une jeune cantatrice anglaise de dix-neuf ans, Anna Selina

Storace, dite Nancy, et son frère, le compositeur Stephen Storace, qui est un élève de Mozart.

Outre les Storace, Mozart compte à Vienne deux nouveaux amis: Thomas Attwood, qui va devenir l'un de ses élèves favoris, et le ténor irlandais Michael Kelly, avec qui il joue au billard, et qui rentre d'Italie où il a fait carrière sous le nom d'Ocheli.

Bientôt, Nancy Storace créera Susanna, dans « Les Noces de Figaro », et Kelly, Basilio et don Curzio. Kelly a laissé de précieux mémoires dans lesquels il est abondamment question de Mozart.

Pour ces jeunes musiciens, Mozart est non seulement un maître à peine plus âgé qu'eux et qui compte déjà vingt-trois ans de carrière, mais encore un artiste qui les surpasse tous par son génie et son expérience de la vie et des hommes.

Et comme, par surcroît, Mozart aime bien s'amuser, les liens qui les unissent sont extrêmement amicaux.

Pour ses séances de musique de chambre dominicales, Mozart termine, le 9 novembre 1784, le quatrième des Quatuors à Haydn: le Quatuor en Si bémol majeur, K. 458, surnommé « La Chasse ».

* * *

1. **Allegro vivace assai.** Le surnom de « La Chasse » donné à ce quatuor provient de la joyeuse fanfare de son premier sujet bondissant — l'un des thèmes les plus enjoués

S^{RA} STORACCE.

Nancy Storace. D'après une
gravure de Bettelini.

qu'ait conçus Mozart. Le second sujet est un groupe de cinq notes rapides entrecoupées de pauses. Après la double barre, on entend une exquise mélodie, dérivée du premier sujet, et que Mozart abandonne après seize mesures, au profit du *grupetto* de cinq notes qui fait les frais du bref développement. Au cours de la récapitulation — et surtout de la grande coda — Mozart remonte tout son matériel thématique sous un jour nouveau.

2. Menuet et trio: moderato. Les accents déplacés de ce grave menuet lui prêtent une allure claudicante. Le trio, qui en est la contrepartie gracieuse, danse plus librement, mais sans jamais quitter tout à fait son attitude un peu compassée.

3. Adagio en Mi bémol majeur. Un chant émouvant, traversé de silences et d'appels, au cours duquel Mozart se livre à de douloureuses confidences, et qui offre un contraste frappant avec les deux premiers mouvements. Il semble exister une secrète entente entre le premier violon et le violoncelle... C'est l'unique *adagio* des Quatuors à Haydn.

4. Allegro assai. Un mouvement en forme sonate, comportant trois sujets bien définis, et ponctué d'accents impérieux. Atmosphère plus fébrile qu'allègre.

Unique œuvre écrite entre le 9 novembre 1784 et le 10 janvier 1785

Concerto pour piano en Fa majeur, no 19, K. 459

16

1785

Quatuor à cordes en La majeur, K. 464 (Haydn no 5)

1. **Allegro**
2. **Menuet; trio en Mi majeur**
3. **Andante en Ré majeur**
4. **Allegro**

« L'Enlèvement au sérail » poursuit sa brillante carrière. Après avoir été chanté à Mannheim, à Mayence et à Berlin, il reçoit un accueil enthousiaste à Salzbourg, le 17 novembre 1784.

Toute la ville en est enchantée. Colloredo lui-même pousse la condescendance jusqu'à admettre que l'opéra n'est pas mauvais. Le père de Mozart et Michael Haydn jubilent.

En décembre, à Vienne, Mozart n'écrit qu'une seule œuvre: le Concerto pour piano en Fa majeur, no 19, K. 459, terminé le 11.

Le 14, lui qui ne rêve qu'amitié et amour du genre humain, il est enfin initié à la franc-maçonnerie en qualité d'apprenti, à la Loge de la Bienfaisance.

Mozart ne fut sans doute pas un catholique exemplaire, bien qu'il ne perdît jamais la foi. Par contre, il fut un franc-maçon zélé. A ses yeux, l'on pouvait être un fidèle et un frère sans contradiction. On a souvent fait remarquer qu'une même ferveur religieuse et sincère découle du motet « Ave verum corpus » et de l'hymne maçonnique « O, Isis und Osiris » de « La Flûte enchantée ».

Mozart devait avoir du mal à comprendre l'hostilité de l'Eglise à l'égard d'une société qui prônait le bonheur de l'humanité, la fraternité, la sagesse et la sérénité devant la mort. Il comptait, parmi les maçons, des amis et des connaissances appartenant à toutes les classes sociales. A la loge, l'homme qui avait eu à souffrir du mépris d'un Colloredo et d'un Arco devait se sentir vengé de se retrouver sur un pied d'égalité avec les grands de ce monde.

A l'avènement de la révolution française, les francs-maçons seront accusés de comploter contre la monarchie. Comme tous les maçons de Vienne, Mozart deviendra suspect aux yeux de la noblesse et du clergé, ce qui contribuera à rendre plus misérables encore les dernières années de sa vie.

En janvier 1785, Mozart complète la série des Quatuors à Haydn à quatre jours d'intervalle. Le cinquième, le Quatuor en La majeur, K. 464, est daté du 10 janvier.

Un mois plus tard, quand il entendra ces deux quatuors, chez son fils, à Vienne, Leopold Mozart les décrira à sa fille comme étant « un peu plus faciles, mais en même temps excellents », c'est-à-dire d'une conception plus claire, d'une écriture plus dépouillée et d'une compréhension moins ardue que les premiers de la série.

Peut-être est-ce parce que le cinquième Quatuor à Haydn est sa première composition après son initiation à la franc-maçonnerie que Mozart le note en La majeur: trois dièzes à la clef — trois étant le chiffre de la symbolique maçonnique . . .

*   *   *

1. Allegro.   C'est le plus paisible des six quatuors de la série, exprimant une joie entièrement dénuée de passion; à part quelques moments d'agitation au cours du développement, le ton reste noble et détaché. Les éléments contrapuntiques sont, ici, revêtus d'une grâce toute nouvelle.

2. Menuet; trio en Mi majeur.   Sombre, rigoureux, et comportant quelques éléments polyphoniques, ce menuet laisse une curieuse impression d'immobilité. Par opposition, le trio, écrit dans la rare tonalité de Mi majeur, est aérien, léger et charmant.

3. Andante en Ré majeur.   D'un thème de marche, Mozart va tirer six de ses plus belles variations. La première rappelle, par sa merveilleuse souplesse, le thème initial du premier des Quatuors à Haydn: K. 387. La deuxième est lyrique, la troisième rythmique. Un chant poignant en ré mineur tient lieu de quatrième variation. Retour à la lumière de Ré majeur dans la cinquième, la variation contrapuntique. Dans la sixième, un rythme martelé, envoûtant, irrésistible, apparaît, marqué tout d'abord par le violoncelle avant d'être repris par tout le quatuor. L'effet est saisissant.

4. Allegro. Ce mouvement en forme sonate, comportant un premier thème bref, cassant et décidé, est traversé par un épisode médian au cours duquel tout le quatuor entonne un hymne magnifique et imprévu en Ré majeur, du plus bel effet. Beethoven admirera ce morceau au point d'en laisser une copie de sa main.

17

1785

Quatuor à cordes en Do majeur, K. 465 (Haydn no 6)

1. **Adagio; allegro**
2. **Andante cantabile en Fa majeur**
3. **Menuet; trio en do mineur**
4. **Allegro**

Le 14 janvier 1785, Mozart écrit donc le dernier des six Quatuors à Haydn: le Quatuor en Do majeur, K. 465.

La série avait commencé dans la joie et l'enthousiasme de la découverte d'un style nouveau; elle s'achève par une manifestation suprême d'intelligence et de sensibilité.

En septembre, les quatuors paraîtront chez Artaria, avec cette dédicace à Joseph Haydn, rédigée par Mozart en italien:

« A mon cher ami Haydn,
un père, qui avait décidé de lancer ses fils dans le vaste monde, crut de son devoir de les confier à la protection et gouverne d'un homme alors fort célèbre et qui était, de plus, son meilleur ami.

Page-couverture de la
première édition des six
quatuors à cordes de Mozart
dédiés à Joseph Haydn.

C'est ainsi que je vous présente mes six fils, illustre et très cher ami. Ils sont, en vérité, le fruit d'une longue et laborieuse étude; mais l'espoir que m'ont donné plusieurs amis que ce labeur sera dans une certaine mesure récompensé, m'encourage et me flatte en me faisant croire qu'un jour ces enfants deviendront pour moi une source de consolation.

Vous même, mon très cher ami, au cours de votre dernier séjour dans cette capitale, avez exprimé votre satisfaction devant ces compositions. Ce suffrage m'incite à vous les dédier et me fait espérer que vous ne les considérerez point tout à fait indignes de votre faveur. Veuillez donc les accueillir avec bonté et accepter de leur servir de père, de guide et d'ami! A compter d'aujourd'hui, je vous cède tous mes droits sur eux. Je vous supplie d'avoir de l'indulgence pour les défauts qui auraient pu échapper à l'œil partial d'un père, et, à cause d'eux, de ne pas retirer votre généreuse amitié à celui qui l'apprécie au plus haut point. Sur quoi je demeure de tout mon cœur, très cher ami, votre ami le plus sincère, W. A. Mozart. »

Mozart aimait répéter que Joseph Haydn était le seul musicien de sa connaissance à qui il aurait pu dédier ses nouveaux quatuors, puisque c'était de lui qu'il avait appris à les écrire. « Personne, disait-il, ne sait émouvoir ou faire rire aussi bien que Haydn. »

Lorsque Artaria eut expédié les Quatuors à Haydn en Italie, ils lui furent retournés sous prétexte qu'ils étaient chargés de fautes d'impression. On devait prendre longtemps pour des erreurs les dissonances qui abondent dans ces

Joseph Haydn.

œuvres, et, longtemps, leur audace et leur nouveauté ne suscitèrent, dans le public, qu'indifférence et incompréhension.

*   *   *

Le Quatuor en Do majeur a été surnommé le « Quatuor des dissonances ». Des collisions harmoniques, qui se produisent au début de l'*adagio,* provoquent, en effet, une impression gênante d'atonalité. Les fausses relations avaient été utilisées bien avant Mozart; celles-ci lui furent pourtant comptées pour des erreurs que le musicographe belge du dix-neuvième siècle, François-Joseph Fétis, prétendit même un jour devoir « corriger ».

1. Adagio; allegro.   Les vingt-deux mesures du méditatif *adagio* créent un tel climat d'attente, qu'on est tout d'abord déçu par l'apparente insouciance de l'*allegro.* Après la double barre de mesure, cependant, Mozart nous offrira l'un des plus étonnants passages de développement thématique de toute la série des Quatuors à Haydn: cinquante mesures de modulations et de jeux imitatifs merveilleux, tirées du seul premier sujet. Le morceau s'achève avec la plus grande simplicité et *pianissimo.*

2. Andante cantabile en Fa majeur.   Une cantilène d'un dessin exquis aboutit à une petite figure rythmique que le premier violon et le violoncelle se renvoient mélancoliquement tout le long du mouvement. Il se dégage de cet *andante* un charme envoûtant, extatique.

125

3. Menuet; trio en do mineur. Un menuet robuste, chromatique, insistant. Le trio est nerveux, animé de passion pressante, presque emphatique. Ce mouvement est sans repos.

4. Allegro. Le finale déploie une grande activité. Les deux premiers sujets, vifs et décidés, ne sont pas particulièrement remarquables; le troisième, en Mi bémol majeur (mesures 89-104), chanté à l'octave par les violons, sur un martèlement rythmique de l'alto et du violoncelle, est la merveille du morceau — un moment de tendresse infinie et de pure émotion. Développement nerveux, étoffé de contrepoint et coupé de silences. Au cours de la récapitulation, Mozart nous fait réentendre le troisième sujet, en La bémol majeur, cette fois, et l'agrémente d'un bref jeu imitatif en canon. La série des Quatuors à Haydn se termine sur ce morceau éblouissant d'imagination.

18

1785

Concerto pour piano et orchestre en ré mineur, no 20, K. 466

1. **Allegro**
2. **Romanza en Si bémol majeur**
3. **Allegro assai**

Vendredi, le 11 février 1785, accompagné de son brillant élève, le violoniste Heinrich Marchand, Leopold Mozart débarque à Vienne où il séjournera jusqu'au 25 avril.

Au moment où son père entre chez lui, à une heure de l'après-midi, Mozart remet au copiste les dernières pages du Concerto en ré mineur qu'il vient tout juste d'achever et qu'il doit jouer, le soir même, au théâtre de la Mehlgrube.

Dans sa hâte de le terminer, il n'a même pas pris le temps de faire, au piano, une première lecture du rondo final.

Ce même jour, le père et le fils sont tous deux présents à la cérémonie d'initiation à la franc-maçonnerie de Joseph Haydn.

Le soir, Leopold Mozart assiste au premier des concerts par souscriptions que son fils doit donner au cours du carnaval 1785. Il trouve l'orchestre excellent et le nouveau concerto magnifique.

Le lendemain soir, un samedi, on fait de la musique chez Mozart. Dans sa première lettre viennoise à Nannerl, écrite le 16 février, Leopold raconte: « Herr Joseph Haydn et les deux barons Tinti sont venus et l'on a joué les *nouveaux quatuors*, ou, plutôt, trois autres que Wolfgang a ajoutés aux trois premiers . . . Haydn m'a dit: "Devant Dieu et en honnête homme, je vous dis que votre fils est le plus grand compositeur que je connaisse, en personne ou de réputation. Il a du goût et, surtout, la science la plus profonde de la composition." »

Il semble évident que ces paroles aient été inspirées à Haydn par l'émotion très forte ressentie la veille, à l'audition du Concerto en ré mineur. Il en avait seul compris la grandeur et l'originalité.

Pour sa part, Leopold Mozart ne manifestera aucun étonnement, quand il en parlera à sa fille, dans sa lettre du 16 février, du pathétique pourtant bien évident du premier mouvement, non plus que de la tonalité inusitée pour un concerto.

Le 13 février, Mozart participe à l'académie de la cantatrice italienne Luisa Laschi, la future comtesse des « Noces de Figaro ». Il y interprète son Concerto pour piano en Si bémol majeur, no 18, K. 456, composé pour la virtuose aveugle, Maria Theresia Paradis. De sa loge, l'empereur agite son chapeau et crie: « Bravo, Mozart! »

*   *   *

Le Concerto en ré mineur est le premier de deux concertos pour piano que Mozart a conçus dans des tonalités mineures; le second sera le Concerto en do mineur, no 24, K. 491, terminé le 24 mars 1786.

La nervosité fougueuse que ces concertos déclenchent sera passagère et, après s'en être libéré, Mozart redeviendra ce qu'il est: un artiste modéré et discipliné du dix-huitième siècle, incapable de démesure, le « compositeur qui a du goût » dont parle Haydn.

Il reste néanmoins intéressant de constater que Mozart aura éprouvé, pendant un moment, la fièvre qui va bientôt gagner l'Europe, et écrit des œuvres qui montrent la voie au romantisme musical allemand.

Au dix-neuvième siècle, le Concerto en ré mineur sera le plus populaire de tous les concertos pour piano de Mozart. Il l'est resté de nos jours.

Beethoven a composé, pour cette œuvre qu'il tenait en haute estime, une belle cadence où se confondent le style mozartien et le sien propre.

*   *   *

1. Allegro. C'est dans l'inquiétude et l'obscurité que commence à se dérouler la puissante introduction orchestrale de ce concerto. Atmosphère chargée d'appréhension. Plusieurs thèmes sont énoncés avant que le piano ne fasse son entrée avec un nouveau thème qui ne sera jamais repris par l'orchestre. Le solo et le tutti s'affrontent avec une inlassable énergie. *Sturm und Drang. Storm and stress.* Tourmente et poussée de passion.

2. Romanza en Si bémol majeur. Ce mouvement lent est, à la vérité, un rondo. Le piano chante seul, tout d'abord, une mélodie d'une divine beauté et dont s'empare ensuite l'orchestre. La conversation s'engage entre eux. Le ciel est bleu, l'air d'une douceur suave, le paysage reposant. Tout à coup, un orage éclate: épisode en sol mineur, tournoyant, véritable accès de désespoir. L'orage passe et l'on retourne à la sérénité au cours d'une coda d'une simplicité désarmante et d'un charme inimitable.

3. Allegro assai. Un rondo brillant, énergique, sans repos. Malgré certains passages chromatiques, le matériel thématique ne comporte aucune des qualités dramatiques du premier mouvement, sans pour cela être frivole. Animation constante, gaieté timide et réticente.

19

1785

Concerto pour piano et orchestre en Do majeur, no 21, K. 467

1. **Allegro maestoso**
2. **Andante en Fa majeur**
3. **Allegro vivace assai**

      Mozart continue à déployer une activité fébrile. Le 9 mars, il écrit le Concerto en Do majeur, K. 467, œuvre qui paraît presque sage après le tumulte du Concerto en ré mineur. Trois jours plus tard, il en donne la première exécution publique, à la Mehlgrube.

Leopold écrit à Nannerl: « Nous ne nous couchons jamais avant une heure du matin et, personnellement, je ne me lève jamais avant neuf heures. Le déjeuner est à deux heures, deux heures et demie. Il fait un temps épouvantable. Il y a des concerts tous les jours; le temps passe en leçons, en musique, en composition, et ainsi de suite. Je me sens un peu en dehors de tout cela. Si seulement les concerts

Mozart portant l'Ordre de l'Eperon d'Or. Copie d'un portrait à l'huile non signé. Vers 1777.

étaient terminés! Il m'est impossible de décrire un pareil remue-ménage. Depuis mon arrivée, le piano de ton frère a été transporté au moins une bonne douzaine de fois au théâtre ou dans quelque autre maison ... On l'emporte à la Mehlgrube tous les vendredis et on l'a également transporté chez le comte Zichy et chez le prince Kaunitz. »

Leopold Mozart décrit le bel appartement de son fils, son train de vie, donne le chiffre exact de ses recettes, mais ne souffle pas un mot du fait que Wolfgang l'a fait entrer, lui aussi, à la loge.

En mars, d'apprenti qu'il était lui-même, Mozart devient compagnon, puis, en avril, maître.

C'est le printemps: la seconde saison viennoise de Mozart touche à sa fin. Il aurait raison d'être démesurément fier de ses triomphes de pianiste et de compositeur; pourtant, il reste modeste, affable, toujours prêt à rencontrer des amateurs et à jouer pour quiconque manifeste du goût et de l'intelligence pour la musique.

Ainsi, il n'aura jamais porté son titre de chevalier de l'Eperon d'Or, conféré par le pape Clément XIV, à Rome, en 1770, et dont Gluck, lui, n'avait pas hésité à se parer.

Mozart n'en fait mention qu'une seule fois, dans une lettre à son père écrite de Mannheim, le 22 novembre 1777 et qu'il signe « Wolfgang Amadé Mozart, Chevalier de l'Eperon d'Or et, dès que je serai marié, de la double corne, membre de la grande Académie de Vérone, Bologne, *oui mon ami.* »

1. Allegro maestoso. Le premier sujet est une marche d'allure martiale dont le rythme va dominer tout le mouvement. A un appel plaintif des cors et des trompettes répondent la flûte et les hautbois. Le piano semble réticent à faire son entrée, mais aussitôt qu'il se fait entendre, un dialogue ininterrompu s'établit entre le *tutti* et lui. Au cours de l'exposition, le piano propose un thème secondaire en sol mineur, qui anticipe le rythme haletant du premier mouvement de la quarantième Symphonie. Le développement est grandiose et atteint son point culminant à la mesure 253: moment palpitant où le plaisir de l'audition devient presque insoutenable. Au cours de la récapitulation, l'appel plaintif des cors et des trompettes est mélancoliquement repris par le piano, avant les derniers passages de virtuosité. Et le thème martial du début atteint son apogée dans les pages finales de ce majestueux *allegro*, l'un des plus complexes et originaux de tous les concertos pour piano de Mozart.

2. Andante en Fa majeur. Ce nocturne champêtre est un triptyque. Au cours du premier épisode, sur les triolets des seconds violons et des altos *con sordino,* et les pizzicatos des contrebasses, les premiers violons chantent une cantilène d'une inexprimable tendresse. En second lieu, le piano reprend cette déchirante mélodie sur un accompagnement discret des cordes; des accords piquants, légèrement dissonants, éclatent en *sforzandi* dans les bois. Le mouvement se termine par la participation de tout l'ensemble. L'orchestration, tout en coloris tamisés, est d'un suprême raffinement.

3. Allegro vivace assai. Après la beauté poignante du mouvement lent, ce finale polisson pourrait sembler irré-vérencieux s'il n'était aussi spirituel et mené de main de maître, vers sa rapide conclusion, par un Mozart de toute évidence pressé d'en finir.

Oeuvres écrites entre le 9 mars et juillet 1785

Oratorio « Davidde penitente », K. 469
Lied « Gesellenreise », K. 468
Cantate « Die Maurerfreude », K. 471
Lied « Der Zauberer », K. 472
Lied « Die Zufriedenheit », K. 473
Lied « Die betrogene Welt », K. 474
Fantaisie pour piano en do mineur, K. 475
Lied « Das Veilchen », K. 476

20

1785 | *"Maurerische Trauermusik",*
K. 477
"Musique funèbre
maçonnique"

Mozart reçoit, de la Société Musicale de Vienne, la commande d'un oratorio pour le carême 1785.

Comme Vienne ne connaît pas encore sa Messe en do mineur, chantée une seule fois à Salzbourg, deux ans auparavant, il décide d'en adapter le « Kyrie » et le « Gloria » à un texte italien probablement fourni par l'abbé Lorenzo da Ponte, le poète de la cour. Il compose deux airs nouveaux pour Valentin Adamberger et Caterina Cavalieri (créateurs de Belmonte et Constance) et le tour est joué.

Cet oratorio, « Davidde penitente », K. 469, est créé le 13 mars.

Le 24 avril, Mozart dirige sa cantate « Die Maurerfreude » (« La Joie maçonnique »), K. 471, au cours d'un banquet donné à la Loge de l'Espérance couronnée.

Le lendemain, Constanze et lui font un bout de chemin avec Leopold qui rentre à Salzbourg; le père et le fils ne savent pas qu'ils s'embrassent pour la dernière fois.

Anton Klein, un poète que Mozart avait rencontré à Mannheim, en 1778, lui soumet un livret d'opéra: « Rudolf von Habsburg ». Dans une lettre écrite le 21 mai, Mozart lui répond qu'il n'a pas encore trouvé le temps de l'étudier avec attention et semble s'excuser d'avoir à le refuser.

C'est au printemps 1785 que Mozart commence à s'intéresser au « Mariage de Figaro » de Beaumarchais. Il en existait déjà plusieurs traductions allemandes, mais Mozart connaissait suffisamment le français pour leur préférer le texte original.

Il demande à Lorenzo da Ponte d'en tirer, pour lui, un livret pour un opéra allemand. Da Ponte écrit, dans ses « Mémoires »: « La proposition me plut et je le lui promis. »

On sait quel scandale avait soulevé la comédie de Beaumarchais, à Paris: représentations orageuses, arrestation de l'auteur, etc. Aussi da Ponte ajoute-t-il: « Mais il y avait une difficulté très grande à vaincre, car l'empereur avait interdit à la troupe allemande toute représentation de cette comédie qui était, selon lui, trop libre pour un auditoire ordinaire. »

Mozart et son librettiste se mettent néanmoins au travail; ils trouveront bien le moyen, le moment venu, de faire accepter l'ouvrage par l'empereur.

Malheureusement, da Ponte connaît trop peu d'allemand pour écrire un livret dans cette langue et Mozart ne veut absolument pas changer de librettiste; amèrement déçu, il doit consentir à un *opera buffa.*

Des rumeurs avaient couru que le Théâtre national allemand allait rouvrir ses portes, à Vienne, hélas toutes fausses! Et Mozart d'écrire, avec ironie, dans sa lettre à Anton
Klein du 21 mai: « N'y eût-il qu'un seul vrai patriote à
exercer son autorité, les choses prendraient une toute autre
tournure. Peut-être, alors, le théâtre allemand, dont les
germes sont si vigoureux, s'épanouirait-il; mais ce serait
naturellement une honte ineffaçable pour l'Allemagne si
nous autres, Allemands, nous nous mettions sérieusement
à penser en allemand, à agir en allemand, à parler en
allemand et, Dieu nous en garde, à chanter en allemand! »

Le 8 juin, Mozart écrit un lied sur un poème de Gœthe:
« Das Veilchen », (« La Violette »), K. 476, qu'il dote
d'une petite conclusion sentimentale de son cru. C'est l'unique rencontre en musique du poète et du « petit homme
avec sa perruque et son épée » qui avait tant frappé Gœthe, à Francfort, en 1763.
Au mois de juillet, dans des circonstances obscures, Mozart
écrit la « Musique funèbre maçonnique », K. 477.

*   *   *

Cet élégiaque *adagio* en do mineur de 69 mesures abonde
en symboles maçonniques; rythmes bien marqués, silences,
tierces et sixtes parallèles, trois bémols à la clef. On trouvera de multiples exemples d'associations par trois dans
« La Flûte enchantée »: trois Dames, trois Garçons, trois
temples, trois épreuves, etc.

L'œuvre se présente comme une marche solennelle, construite autour d'un *cantus firmus* grégorien (commençant à la vingt-cinquième mesure) que Mozart a noté sur une feuille à part, pour être sûr de ne pas le perdre de vue, et qui se termine par un rassurant accord de Do majeur, symbolisant la victoire de la lumière sur les ténèbres.

L'orchestre comporte deux hautbois, une clarinette, trois cors de basset, un contrebasson, deux cors et les cordes. L'utilisation du régistre grave des bois confère à ces pages une couleur riche et sombre, appropriée à une musique de deuil. Les deux cors de basset les plus élevés et le contrebasson ont été ajoutés par Mozart après l'achèvement de cette œuvre.

« Thamos, König in Aegypten », (« Thamos, Roi d'Egypte »), K. 345, auquel Mozart travailla en 1773 et en 1779, contenait les éléments d'un style maçonnique que Mozart approfondit, ici, et qu'il perfectionnera encore dans ses cantates de 1791, ainsi que dans « La Flûte enchantée », son chef-d'œuvre maçonnique.

Entre la composition de la « Musique funèbre maçonnique », en juillet 1785, et celle du Quatuor pour piano et cordes en sol mineur, achevé le 16 octobre suivant, Mozart n'a écrit qu'une cantate pour Nancy Storace, aujourd'hui perdue.

21

1785

Quatuor pour piano, violon, alto et violoncelle en sol mineur, K. 478

1. **Allegro**
2. **Andante en Si bémol majeur**
3. **Allegro en Sol majeur**

En septembre 1785, la composition des « Noces de Figaro » est à peu près entièrement terminée.

Ayant appris que l'on manquait de nouveaux opéras au théâtre, Lorenzo da Ponte saisit l'occasion pour aller parler de « Figaro » à Joseph II.

L'empereur commence par objecter que, bien qu'il soit très fort en instrumentation, Mozart n'a encore écrit pour le théâtre que « L'Enlèvement au sérail » qui n'est pas grand-chose.

« Et puis, ajoute-t-il, vous n'ignorez pas que j'ai interdit qu'on joue ces "Noces de Figaro". »

*Lorenzo da Ponte. Gravure de Pekenino,
d'après Rogers.*

— Cela est exact, votre Majesté, de répondre da Ponte, mais c'est un livret pour la musique que j'ai composé. J'ai retranché beaucoup de scènes, et supprimé ou abrégé toutes celles qui pourraient blesser la délicatesse et la décence d'un spectacle que protégerait votre Majesté. Quant à la musique, autant que j'en puisse juger, elle me paraît d'une beauté merveilleuse.

— Puisqu'il en est ainsi, je me fie à votre goût quant à la musique et à votre prudence quant aux mœurs. Faites donner la partition au copiste.»

Fort de la promesse de Joseph II de faire chanter l'opéra, Mozart poursuit son travail avec un redoublement d'enthousiasme.

Mais il ne peut jamais se laisser accaparer entièrement par une seule œuvre, si importante soit-elle, et, le 16 octobre, il délaisse momentanément son opéra pour créer un genre nouveau: le quatuor pour piano et cordes.

Dans un contrat qu'il a signé avec l'éditeur Franz Anton Hoffmeister, Mozart s'est engagé à en écrire trois. Le premier de la série, le Quatuor en sol mineur, est une œuvre sombre et d'une exécution ardue qui sera boudée par le public dès sa publication. Aussi, Hoffmeister prie-t-il Mozart de ne pas lui envoyer les deux autres quatuors.

Pourtant, un deuxième sera complété en 1786, un peu après les représentations des « Noces de Figaro »: le Quatuor en Mi bémol majeur, K. 493, également fort beau et à peine un peu plus facile que le premier. Mais c'est chez Artaria, cette fois, qu'il sera publié.

La partie de piano du Quatuor en sol mineur exige un virtuose de la trempe de ceux qui peuvent jouer les plus difficiles des concertos pour piano. Cette œuvre expressive et passionnée requiert, aussi, des interprètes de la plus haute intelligence.

* * *

1. Allegro. On est frappé tout de suite par le manque de repos de ce mouvement et par sa sévérité. (Mozart a dû le trouver lui-même si triste et inquiétant qu'il abandonnera la tonalité de sol mineur au profit de Sol majeur, dans le finale.) Le piano et les cordes exposent conjointement un premier thème énergique qui sera longuement fouillé. Le second sujet, noté en 4/4, suggère un rythme de 5/4; son étrangeté ne le laisse pas passer inaperçu. Par son emphase et son envergure, le mouvement prend parfois des allures de concerto pour piano. La deuxième apparition du second sujet, en mineur, cette fois, intensifie le sentiment de désespoir qui se dégage de ce morceau.

2. Andante en Si bémol majeur. A la turbulence de l'*allegro*, Mozart oppose la beauté lyrique et la tendresse paisible de cet éloquent *andante*. Aucun nuage n'en vient jamais troubler la limpidité.

3. Allegro en Sol majeur. Voici un rondo assez bizarrement construit. Après le premier couplet, sérieux et solennel, plutôt que de reprendre le refrain, selon les règles du rondo, Mozart propose un troisième sujet, puis un quatrième et un cinquième encore. Le Quatuor en sol mineur est

l'une de ses œuvres les plus richement mélodiques. L'élégance de ce finale nous rappelle qu'il est contemporain des
« Noces de Figaro ».

**Oeuvres écrites entre le 16 octobre
et le 16 décembre 1785**

Quatuor vocal « Dite almeno », K. 479
Trio vocal « Mandina amabile », K. 480
Sonate pour piano et violon en Mi bémol majeur, K. 481

22

1785

Concerto pour piano et orchestre en Mi bémol majeur, no 22, K. 482

1. **Allegro**
2. **Andante en do mineur**
3. **Allegro; andantino cantabile en La bémol majeur**

La saison musicale 1784-85 avait permis à Mozart de remporter de grands succès artistiques et de gagner beaucoup d'argent. Mais l'argent lui brûle les doigts. Il a dépensé sans compter, donné dîners et réceptions, si bien que, l'automne venu, il se trouve dans une situation financière embarrassante.

Il écrit alors la première d'une longue série de lettres, toutes plus affligeantes les unes que les autres, et qu'il adressera à des amis, au cours des six dernières années de son existence, pour leur emprunter de l'argent.

Celle-ci, datée du 20 novembre, est envoyée à son éditeur, Franz Anton Hoffmeister, qui lui fait parvenir le jour même deux ducats.

Le 16 décembre, Mozart termine le premier des trois concertos pour piano qu'il destine à sa saison 1785-86: le Concerto en Mi bémol majeur, no 22, K. 482.

Les Viennois continuent à faire fête au virtuose et à ses concertos. Le 23 décembre, ils assistent en grand nombre à la première exécution publique du nouveau concerto et insistent pour que le mouvement lent, l'*andante* à variations, soit bissé. Mozart qualifie l'incident de « curieux » s'étonnant, sans doute, que ce morceau en do mineur, si doucement mélancolique, ait pu émouvoir à ce point l'élégant public de ses académies.

Après avoir osé le Concerto en ré mineur de la saison précédente, Mozart a sans doute jugé prudent de ne pas trop exiger des frivoles Viennois; il leur propose, cette fois, une œuvre brillante, dénuée de toute inquiétude.

Ce troisième concerto en Mi bémol majeur (le 9ème, K. 271, et le 14ème, K. 449, sont dans ce ton) permet de constater un raffinement dans l'art de Mozart, sur le plan de l'expression et de l'écriture.

On pourrait surnommer ce concerto le « Concerto des clarinettes »; pour la première fois, en effet, dans un concerto pour piano, Mozart remplace les hautbois par des clarinettes.

* * *

1. Allegro. C'est l'un des premiers mouvements les plus

grandioses des concertos pour piano de Mozart. Il débute par l'un de ces appels à l'attention, si fréquents dans ses œuvres concertantes, et qui sont comme les trois coups frappés au théâtre. Le matériel thématique est abondant, gracieux et paisible, énergique et majestueux. L'orchestration est d'une richesse exceptionnelle.

2. Andante en do mineur. Les cordes avec sourdines exposent seules le thème infiniment beau et triste, presque suppliant, de cet air à cinq variations et coda. Comme d'un personnage de théâtre, Mozart va nous montrer divers aspects de sa personnalité. La première variation consiste en une reprise plus ornée du thème par le solo, avec accompagnement des cordes. La seconde est une petite sérénade pour vents en Mi bémol majeur, au cours de laquelle les clarinettes jouent un rôle prépondérant. Dans la troisième variation, le piano et les cordes donnent libre cours à des effusions passionnées. Le quatrième, en Do majeur, fait dialoguer joyeusement la flûte et le basson. Dans la cinquième, de nouveau en do mineur, l'orchestre s'affirme et fait gronder des trilles inquiétants dans les cordes. A la coda, tout s'éclaire. On comprend pourquoi, ému par tant de grâce, de beauté radieuse et d'éloquence vraie, le public viennois de la première audition demanda à Mozart de rejouer le mouvement.

3. Allegro; andantino cantabile en La bémol majeur. Ce rondo en 6/8 est une musique de chasse, avec galopades et appels de cors. Tout à coup, le mouvement s'arrête et Mozart nous propose une ravissante pastorale, un *andante cantabile* auquel les voix des clarinettes et des bassons confèrent un caractère plaintif. Le rondo reprend sa course et l'œuvre s'achève dans la joie.

Oeuvres écrites entre le 16 décembre 1785 et le 2 mars 1786

Rondo pour piano en Ré majeur, K. 485
2 Chants maçonniques, K. 483 et 484
Adagio pour 2 cors de basset et basson en Fa majeur, K. 410
Adagio pour 2 clarinettes, 2 cors de basset et clarinette basse, en Si bémol majeur, K. 411
« Der Schauspieldirektor », K. 486

23

1786 | Concerto pour piano et orchestre en La majeur, no 23, K. 488

1. **Allegro**
2. **Adagio en fa dièze mineur**
3. **Allegro assai**

En décembre 1785, l'empereur Joseph II ordonne que les huit loges de Vienne soient fondues en deux loges. Mozart se trouve désormais attaché à la Loge de la Nouvelle Espérance Couronnée dont le Vénérable est le baron Tobias von Gebler, l'auteur de « Thamos, König in Aegypten », pour lequel il avait écrit de la musique en 1773 et en 1779.

Pour l'inauguration de sa nouvelle loge, Mozart écrit deux lieder, K. 483 et 484, ainsi que deux rituels pour bois, K. 410 et 411. Ces quatre pièces sont ses dernières compositions maçonniques avant celles de l'année 1791.

Le 7 février 1786, le *singspiel* « Der Schauspieldirektor » (« Le Directeur de théâtre »), est présenté au palais de Schönbrunn. Joseph II en avait commandé l'argument à Stephanie le Jeune, le librettiste de « L'Enlèvement au sérail », et la musique à Mozart, pour célébrer le passage à Vienne de son beau-frère, Albert de Saxe-Teschen, gouverneur des Pays-Bas.

La contribution de Mozart se résume à une spirituelle ouverture en Ré majeur et à quatre numéros pour Valentin Adamberger, Caterina Cavalieri et Aloysia Lange qui participe pour la première fois à une création artistique de son beau-frère.

Le 2 mars, Mozart termine la composition de son vingt-troisième Concerto pour piano en La majeur, K. 488, qui est, avec le Concerto en ré mineur, le plus populaire et le plus fréquemment joué de tous ses concertos pour piano.

* * *

1. Allegro. Au cours du prélude symphonique, Mozart expose tout le matériel thématique de ce mouvement d'une architecture plus simple que celle du concerto précédent. La recherche de la virtuosité y est aussi moins apparente, bien que l'activité du soliste n'en soit pas pour cela diminuée. L'écriture est limpide, le style à la fois élégant et rigoureux. L'orchestre ne comporte ni trompettes ni timbales: sa sonorité est donc moins brillante que celle du vingt-deuxième Concerto. Tout en ayant l'air de se ressembler, les concertos pour piano de Mozart diffèrent toujours les uns des autres par leur humeur, leur couleur et l'atmosphère qu'ils créent.

2. Adagio en fa dièze mineur. Mozart inscrit *adagio* sur la partition, mais il s'agit assez clairement d'un *andante*. Dans une lettre à son père du 9 juin 1784, il avait précisé qu'il ne fallait pas d'*adagio* dans aucun de ses concertos. Ce mouvement est une exquise sicilienne; écrite dans la rare tonalité de fa dièze mineur, elle comporte un épisode central où les vents produisent de ravissants effets de pastorale. Ces pages méditatives, délicatement colorées, sont un exemple de perfection classique, de clarté et de concision. Comme dans le premier mouvement, la disposition d'esprit de Mozart alterne entre la joie et la tristesse: c'est le sourire à travers les larmes.

3. Allegro assai. Dans certaines éditions, on indique *presto* au début de ce rondo qui est bien le plus étourdissant jamais écrit par Mozart. Le piano y mène un train d'enfer. Flot incessant de joyeuses mélodies et de modulations inattendues. Le charme absolument irrésistible de ce mouvement justifie, à lui seul, la popularité du concerto.

Oeuvres écrites entre le 2 et le 24 mars 1786

Duo « Spiegarti non poss'io », K. 489
Air « Non piu tutto ascoltai », K. 490

24

1786

Concerto pour piano et orchestre en do mineur, no 24, K. 491

1. **Allegro**
2. **Larghetto en Mi bémol majeur**
3. **Allegretto**

Pour une unique représentation d'« Idomeneo », donnée par les amis chanteurs du prince Karl Auersperg, Mozart compose, le 10 mars, deux nouveaux morceaux: le duo pour soprano et ténor « Spiegarti non poss'io », K. 489, que doivent interpréter Mme de Pufendorf et le baron Pulini, ainsi qu'une *scena con rondo* comportant le récitatif « Non tutto ascoltai », suivi de l'air pour ténor « Non temer, amato bene », K. 490, avec solo obligé de violon destiné à l'un de ses amis intimes, le comte August von Hatzfeld. (Dans un an, Mozart aura la douleur de perdre cet ami, mort de tuberculose à l'âge de trente et un ans.)

L'air d'Idamante, « Non temer, amato bene », a été noté

comme pour une partie de soprano, soit parce que Mozart pensait encore au castrat qui avait chanté le rôle en 1781, soit parce qu'il pensait déjà à sa belle amie Nancy Storace pour qui il composera, dans quelques mois à peine, et sur les mêmes paroles, la scène dramatique pour soprano et piano obligé: « Ch'io mi scordi di te? », K. 505.

Mozart met la dernière main aux « Noces de Figaro » dont la création est prévue pour la fin d'avril. C'est le carnaval; lui qui adore danser, il se rend à un bal déguisé en disciple de Zoroastre.

Le 24 mars, il écrit son vingt-quatrième Concerto pour piano en do mineur, K. 491. Si le Concerto en ré mineur révélait une grande agitation mentale, ce nouveau concerto porte les marques d'un véritable désespoir.

On se demande ce qu'ont pu penser les premiers auditeurs, le 7 avril suivant, en entendant Mozart jouer cette œuvre si totalement démunie de la joliesse de la musique galante...

Incapables d'en saisir les profondes beautés, ils n'en remarquèrent, sans doute, que la longueur et la complexité, et durent en éprouver de l'ennui; il n'est pas impossible que ce soit à compter de cette œuvre que les Viennois aient cessé de s'intéresser à Mozart et ses concertos pour piano.

Le Concerto en do mineur suffirait, à lui seul, à détruire le mythe du « divin Mozart »: l'éternel enfant, la gracieuse figurine de porcelaine de Saxe, en jabot de dentelle et en perruque poudrée. C'est une œuvre d'une grande sensibilité, virile et profonde, l'œuvre d'un homme de trente ans qui a atteint sa pleine maturité.

Mozart réunit ici l'orchestre le plus riche qu'il ait encore utilisé: une flûte, deux hautbois et deux clarinettes, deux bassons, deux cors, deux trompettes, une paire de timbales et les cordes. Il y exploite le registre grave des cordes et divise les altos, dans le premier mouvement.

1. Allegro.   Le thème initial de cet *allegro* rappelle, en plus inquiétant, celui du premier mouvement du Concerto en Mi bémol majeur, no 14, K. 449, également en 3/4. Le morceau déborde de passion farouche. Un chromatisme incessant en intensifie la tristesse désolée. Malgré certains thèmes secondaires aux inflexions plus tendres, le souffle du mouvement demeure toujours ardent, sa pulsation rythmique fiévreuse. Après une série de grands climax dramatiques, le dénouement semble singulièrement bref; épuisé, le morceau s'achève *pianissimo*.

2. Larghetto en Mi bémol majeur.   C'est la scène d'amour d'une grande tragédie classique, un rondo composé d'un refrain exposant une idée d'une exquise simplicité, de deux couplets plus animés et au cours desquels le piano s'entretient avec les bois, enfin d'une coda. Les couplets vibrent d'une grande émotion, particulièrement le second, en La bémol majeur, avec ses tierces sensuelles. Les trompettes se taisent, dans ce mouvement.

3. Allegretto.   Avec le retour à la tonalité de do mineur, le climat redevient dramatique; il le restera, inexorablement, jusqu'à la fin de ce thème à huit variations, malgré deux variations plus paisibles en La bémol majeur (no 4) et en Do majeur (no 6). A compter de la septième variation (mesure 200), le mouvement s'abandonne à la douleur. La passion gronde sans cesse, éclatant çà et là, puis se contenant à nouveau. Après la cadence, le rythme passe de 4/4 à 6/8, la fièvre monte et l'œuvre s'achève aux accents d'un grandiose désespoir.

25

1786

"Le Nozze di Figaro", K. 492 "Les Noces de Figaro"

Le 18 avril, Leopold Mozart annonce à sa fille que la première des « Noces de Figaro » a été fixée au 28 du même mois.

« Ce sera étonnant s'il triomphe, écrit-il, car je sais que de très fortes cabales sont montées contre ton frère. Salieri et toute sa clique vont encore une fois tenter de remuer ciel et terre pour faire échouer l'opéra. M. et Mme Duschek m'ont dit, récemment, que c'est à cause de la très grande réputation que les talents exceptionnels de ton frère lui ont value que tant de gens sont ligués contre lui. »

Tout comme pour « L'Enlèvement au sérail », de puissantes intrigues sont, en effet, menées par Salieri et Righini, le poète Casti, rival de Lorenzo da Ponte, et le comte Rosen-berg, l'intendant du théâtre lui-même, pour empêcher les représentations du nouvel opéra.

Silhouettes de Stefano Mandini, le comte Almaviva des « Noces de Figaro »; Luisa Laschi, la comtesse; Sardi Bussani, Cherubino; Nancy Storace, Susanna; et Michael Kelly, Basilio et don Curzio.

Salieri et Righini ont chacun un opéra prêt à être mis en scène et qu'ils cherchent à faire passer avec les « Noces de Figaro ». Mozart jure qu'il brûlera sa partition plutôt que de se laisser supplanter.

Des rumeurs courent que même certains chanteurs de la troupe trempent dans ces complots — exception faite, naturellement, pour Nancy Storace et Michael Kelly, amis personnels du compositeur.

Heureusement, Joseph II donne l'ordre de commencer les répétitions et les représentations de « Figaro » semblent définitivement assurées.

Furieux, le comte Rosenberg soulève toutes sortes de difficultés. Sous prétexte que les ballets sont interdits dans les opéras-bouffes, il prétend supprimer le fandango du troisième acte; il faudra un ordre de l'empereur pour le rétablir.

La distribution est brillante; elle réunit les meilleurs chanteurs d'opéra italien de Vienne: Luisa Laschi, la comtesse Almaviva; Stefano Mandini, le comte; Nancy Storace, Susanna; Francesco Benucci, Figaro; Sardi Bussani, Cherubino; Michael Kelly, Basilio et don Curzio; enfin, Marianne Gottlieb, la future Pamina de « La Flûte enchantée », Barbarina.

« Je me souviens de la première répétition avec tout l'orchestre, raconte Michael Kelly dans ses Mémoires. Mozart était sur la scène, avec sa pelisse cramoisie et son chapeau haut de forme à galons d'or, donnant la mesure à l'orchestre. L'air de Figaro, "Non piu andrai", fut chanté d'une voix puissante par Benucci et avec beaucoup de vivacité. Je me tenais à côté de Mozart qui répétait, tout bas: "Bravo, bravo, Benucci!" Quand Benucci arriva au passage: "Cherubino, alla vittoria, alla gloria militar", l'effet fut véritablement électrisant. Les interprètes sur la scènes et les musiciens de l'orchestre, transportés, se mirent à crier: "Bravo! Bravo, mæstro! Viva, viva grande Mozart!" »

La première représentation a finalement lieu le 1er mai 1786, au Burgtheater, devant l'empereur et sa cour. Tous les amis de Mozart sont évidemment dans la salle.

« A la fin de l'opéra, poursuit Kelly, je crus que les auditeurs ne cesseraient jamais d'applaudir et de réclamer Mozart. Presque tous les numéros furent bissés, ce qui fit durer la représentation deux fois plus longtemps que prévu, si bien que l'empereur donna l'ordre qu'à la seconde représentation, aucun morceau ne pourrait être répété. Jamais il n'y eut à l'opéra un triomphe plus complet que celui de Mozart et ses "Nozze di Figaro". »

La décision de l'empereur ne sera pas respectée; à la seconde représentation, cinq morceaux, et, à la troisième, sept, seront bissés, sans compter le duettino « Aprite, presto aprite », qui devra être répété trois fois.

Il reste qu'en dépit de ces premiers succès, en partie assurés par les amis et les admirateurs viennois de Mozart, il n'y aura que neuf représentations des « Noces de Figaro », à Vienne, en 1786, ce qui est peu. Le 18 décembre, un nouvel opéra de Martin y Soler, « Una Cosa rara », lui succédera au Burgtheater et l'on n'entendra plus parler des

« Noces de Figaro » avant les douze représentations de l'automne 1789.

Du vivant de Mozart, l'ouvrage sera, par la suite, chanté quinze fois, en 1790, et trois fois, en 1791.

Encore plus que « L'Enlèvement au sérail », il semble que « Figaro » ait déplu à Joseph II et ses Viennois, à cause de la complexité de l'intrigue et la trop grande nouveauté de la musique. Trop long, trop difficile à chanter, sans parler d'allusions indécentes au droit de cuissage et de valets qui en remontrent sans cesse à leurs maîtres.

Ce n'est qu'à Prague, à la fin de cette année 1786, que « Les Noces de Figaro » connaîtront leurs premiers véritables succès et seront admirés sans réserve.

*   *   *

Beaumarchais avait, tout d'abord, pensé à faire du « Mariage de Figaro » une comédie mêlée d'ariettes; la pièce, en effet, se prête admirablement à sa transposition en musique.

Les principales coupures pratiquées par da Ponte et Mozart sont la grande scène entre le comte et Figaro, les réclamations féministes de Marcellina et la scène du tribunal, au troisième acte, ainsi que le long monologue de Figaro, au cinquième acte.

« Les Noces de Figaro» comportent une ouverture en Ré majeur, écrite deux jours avant la première; quatorze airs répartis entre les neuf personnages principaux: six duos, deux trios, un sextuor, deux chœurs et les finales des deuxième, troisième et quatrième actes. C'est ce que l'on peut appeler un opéra d'ensembles.

Figaro a le plus grand nombre de solos à chanter. Son caractère s'affirme dès la cavatine « Se vuol ballare » (no 3), moqueuse et sarcastique. Cette scène ne figure pas dans le texte de Beaumarchais, mais elle est bien dans l'esprit des monologues de Figaro, qui méprise son maître et qu'il appelle « contino », le petit comte. Le valet revendique égalité et justice; certains Viennois durent certainement être choqués par son attitude provocante et ses prétentions à l'indépendance.

Son second solo, « Non piu andrai » (no 9), remplace le finale conventionnel du premier acte. Cette marche militaire satirique produit un effet irrésistible: c'est l'air le plus populaire de l'opéra. A Prague, Mozart l'entendra jusque dans les guinguettes.

Le troisième air de Figaro, « Tutto e disposto » (no 26), exprime son tourment d'avoir été trompé par Susanna; injurieux à l'égard des femmes, cet air rappelle qu'un drame est à la source de la comédie.

Susanna est le personnage le plus actif de l'opéra. Ses deux airs sont « Venite, inginocchiatevi » (no 12), au deuxième acte, air tendre et moqueur qui montre qu'elle ne reste pas insensible aux charmes de Cherubino, pendant le jeu assez pervers où elle déshabille puis rhabille le page, sous les yeux amusés de la comtesse, et, au quatrième acte, « Deh vieni, non tardar » (no 27), dans lequel elle chante son amour pour Figaro, tout en feignant d'attendre le comte.

Si elle n'a que deux airs à chanter, par contre Susanna participe à tous les ensembles: les six duos, les deux trios, le sextuor et les trois finales.

La comtesse chante, elle aussi, deux airs: la cavatine « Porgi, amor » (no 10), l'expression même de l'amour déçu, et « Dove sono » (no 19), dans lequel elle pleure sa joie d'autrefois perdue.

Le comte n'a qu'un air, « Hai gia vinta la causa » (no 17), mais il est grandiose: c'est le second air de vengeance de l'opéra, le premier étant « La Vendetta » (no 4) de Bartolo. Il est extrêmement important, pour bien comprendre le personnage du comte Almaviva, de l'entendre proclamer qu'il ne peut supporter le bonheur de son valet et qu'il souffre de voir un homme de la classe de Figaro être aimé d'une femme qu'il courtise lui-même en vain.

Cherubino est, certainement, l'un des personnages les plus attachants et les plus humains de l'opéra. Son premier air, « Non so piu cosa son » (no 6), exprime l'émoi d'un jeune garçon balbutiant que troublent les femmes et les choses de l'amour. Cherubino n'est pas un enfant, sans quoi le comte et Figaro ne seraient pas jaloux de lui. Si Cherubino, dans « La Mère coupable », troisième volet de la trilogie espagnole de Beaumarchais, n'était mort à la guerre, après avoir fait un enfant à la comtesse Almaviva, il serait devenu une sorte de Don Juan.

L'ariette de Cherubino, « Voi che sapete » (no 11), est,

avec le « Non piu andrai » de Figaro, l'air qui fait le plus d'effet dans l'opéra; le page y avoue, sous des accents à peine voilés, l'amour qu'il porte à la comtesse.

Bartolo, Marcellina, Basilio et Barberina chantent chacun un air qui n'apporte rien à l'action.

« Il capro e la capretta » (no 24) de Marcellina et « In quegli anni » (no 25) de Basilio sont généralement retranchés, mais « La Vendetta » (no 4) de Bartolo est maintenu; c'est un morceau enlevant, dans le plus pur style de l'*opera buffa.*

Quant à la cavatine « L'ho perduta, me meschina » (no 23) de Barbarina, qui a perdu l'épingle que le comte lui a recommandé de remettre à Susanna, c'est l'un des moments les plus dramatiques de l'opéra. Cette petite chanson triste, en fa mineur, inventée de toute pièce par da Ponte et Mozart, exprime la naïveté de la petite messagère éplorée, seul personnage honnête et pur de la pièce.

Les six duos sont remarquables. Susanna et Figaro interprètent dès le début les deux premiers: « Cinque . . . dieci » (no 1) et « Se a caso madama » (no 2). « Via resti servita » (no 5) met aux prises les deux rivales de Figaro: Susanna et Marcellina; Mozart a su capter avec un humour incomparable le ton d'une dispute de femmes. « Aprite, presto aprite » (no 14) est un chef-d'œuvre de concision, d'espièglerie et d'esprit. «Crudel! perche finora » (no 16) montre Susanna flirtant outrageusement avec son maître qui n'ose croire à son bonheur. Enfin, l'air de la lettre, « Sull'aria » (no 20), de la comtesse et de Susanna, est un duo charmant, fluide, orné avec une grâce sans pareille.

1786

Le premier des deux trios, « Cosa sento » (no 7), exprime la colère de Susanna à l'idée que Basilio va découvrir chez elle le comte et Cherubino. Le *terzetto* «Susanna, or via sortita » (no 13) dépeint la fureur du comte et l'émoi de la comtesse, au deuxième acte, dans la scène où Cherubino saute du balcon.

Le sextuor « Riconosci in questo amplesso » (no 18) était le morceau de l'opéra que Mozart préférait. Cette scène, au cours de laquelle Figaro reconnaît en Marcellina et en Bartolo sa mère et son père, est la plus drôle de toute la pièce, avec ses « sua madre » et « suo padre » irrésistibles.

Le chœur chante, au premier acte, « Giovanni liete » (no 8), au cours duquel les paysans viennent remercier le comte d'avoir aboli le droit du seigneur, et « Ricevete, o padroncina » (no 21), au troisième acte, un hommage des paysannes à la comtesse.

Le finale du deuxième acte, comme ceux du troisième et du quatrième actes, est un véritable petit opéra en miniature. Il comporte six mouvements de scène auxquels prennent part huit personnages. Le finale du troisième acte, avec chœur, est en quatre parties: la marche nuptiale de Figaro, l'*allegretto* des jeunes paysannes, le fandango de Susanna, et l'invitation du comte aux réjouissances de la noce.

Quant au finale du quatrième acte, qui met en scène onze personnages, il est réparti en six mouvements: jeu entre Cherubino et la comtesse en fausse Susanna; jeu du comte avec sa femme en fausse Susanna; jeu de Figaro avec Susanna en fausse comtesse; explications entre Figaro et Susanna; découverte de la supercherie; enfin, la scène des excuses que le comte fait à son épouse qui les accepte avec résignation. Chaque section de ce finale porte une indication de tempo spécifique: *andante, con un poco di moto, larghetto, allegro molto, andante* et *allegro assai.*

Dans ces grands mouvements d'ensemble, beaucoup de choses sont exprimées avec une grande rapidité: Mozart montre, grâce à eux, avec quel art il sait faire converser plusieurs personnages à la fois. Ils sont extrêmement complexes. Da Ponte, dans ses « Mémoires », fait remarquer que tout en se rattachant étroitement à l'action, ils doivent comporter une intrigue nouvelle et un intérêt particulier; c'est le moment où les chanteurs font briller leur talent et le compositeur son génie.

1786

**Oeuvres écrites après la création des
« Noces de Figaro » jusqu'au 1er août 1786**

*Quatuor pour piano et cordes en Mi bémol majeur, K. 493
Rondo pour piano en Fa majeur, K. 494.
Concerto pour cor en Mi bémol majeur, no 4, K. 495
Trio pour piano, violon et violoncelle en Sol majeur,
K. 496
12 Duos pour deux cors de basset, K. 487
4 Notturnos pour trois voix, K. 436, 437, 438 et 439*

26

1786

Sonate pour piano à quatre mains en Fa majeur, K. 497

1. **Adagio; allegro**
2. **Andante en Si bémol majeur**
3. **Allegro**

Peu de temps après la création des « Noces de Figaro », Pasquale Bondini, directeur de l'opéra de Prague, vient négocier avec Mozart les droits pour les représentations praguoises de son opéra.

Les recettes de « Figaro » ont été bonnes, mais elles n'ont guère enrichi Mozart qui a des dettes et un loyer élevé à payer. L'avenir reste, pour lui, tout aussi incertain. Constanze attend un enfant pour le mois d'octobre. C'est l'été. Il n'est plus question de donner des concerts et Mozart doit se remettre à l'enseignement.

Parmi ses élèves, il en est un qu'il affectionne particulièrement: Thomas Attwood, jeune compositeur anglais de vingt et un ans. Attwood a raconté que Mozart lui proposait parfois une partie de billard en guise de leçon et qu'il lui dispensait, ainsi, tout en jouant, les principes de son esthétique.

C'est à compter de l'été 1786 que Mozart prend en pension, chez lui, un nouvel élève, un garçon de huit ans, Johann Nepomuk Hummel, futur ami de Beethoven. Il le gardera deux ans auprès de lui. L'enfant l'adorait. Quelques années plus tard, à Berlin, un soir que Hummel donnait un concert, on vint lui dire que Mozart était dans la salle. Le jeune garçon se précipita aussitôt vers son ancien maître, lui prodiguant toutes les marques de l'affection la plus vive.

Mozart donne également des leçons à Franziska, la sœur de son ami le baron Gottfried von Jacquin. Le frère et la sœur comptent parmi les amis les plus cultivés de Mozart qu'ils invitent à leurs soirées musicales du mercredi. Dans ce milieu, où il est reçu avec empressement, Mozart se sent heureux, compris, apprécié à sa juste valeur. Gottfried est, en outre, son frère de loge, ce qui ne fait que renforcer leur amitié.

Depuis sa petite enfance, Mozart a toujours eu un besoin presque maladif de tendresse et d'amitié. La solitude dans laquelle vont le confiner peu à peu l'indifférence du public, la pauvreté et la maladie, lui sera d'autant plus pénible qu'il souffre lorsqu'il ne sent pas autour de lui l'affection de nombreux amis.

Mozart ne devait jamais oublier l'enseignement amical qu'il avait reçu de Johann Christian Bach, à Londres, alors qu'à huit ans, il s'exerçait à écrire ses premières symphonies. L'annonce de sa mort, en 1782, l'attrista profondément: « Vous devez bien savoir que le Bach anglais est mort? écrivit-il à son père. Quelle perte pour le monde musical! » Et afin de lui rendre un dernier hommage, il cite un thème de Johann Christian au début de l'*andante* de son Concerto pour piano en La majeur, no 12, K. 414.

En 1770, au cours de son premier voyage en Italie, Mozart rencontra, chez Nardini, Thomas Linley, un jeune violoniste anglais du même âge que lui. Leur amitié fut courte, mais spontanée et chaleureuse; les deux garçons pleurèrent lorsqu'ils durent se quitter. A Bologne, Mozart se fit un autre ami, le compositeur tchèque Josef Mysliweckek, que les Italiens appelaient affectueusement « il divino Boemo ».

Que d'espièglerie et de tendresse n'exprime-t-il pas dans les lettres joyeuses, si candidement érotiques (et occasionnellement scatalogiques), qu'il adressait à sa petite cousine d'Augsbourg, Maria Anna Thekla Mozart, dite la Bäsle! C'est elle qu'il pria de l'accompagner quand il dut rentrer à Salzbourg, se remettre sous le joug de Colloredo, en janvier 1779.

Il y eut, ainsi, beaucoup d'amitiés qui se nouèrent et se dénouèrent au cours de la vie de cet homme qui avait connu tôt l'amertume de sans cesse s'arracher des lieux et des gens.

Enfin, c'est en grande partie par besoin d'amitié et de fraternité que Mozart est entré dans la franc-maçonnerie;

il y compte beaucoup d'amis: Anton Stadler, Emmanuel Schikaneder — et ce Michael Puchberg qui deviendra, après sa mort, le tuteur de ses fils.

Pour ses amis, Mozart a écrit des chefs-d'œuvre: le Trio pour piano, violon et violoncelle en Mi majeur, K. 542, et le Divertimento pour trio à cordes en Mi bémol majeur, K. 563, seront tous deux destinés à Michael Puchberg. A Gottfried von Jacquin, qui avait une belle voix de basse, il a dédié plusieurs airs magnifiques, particulièrement « Mentre ti lascio », K. 513, où l'on sent toute la chaleur de l'amitié qui unissait les deux hommes.

A l'occasion, Mozart consent à accorder un peu d'attention à un compatriote salzbourgeois, le corniste Ignaz Leutgeb (ou Leitgeb), devenu marchand de fromage à Vienne. Pour ce personnage qu'il a du mal à prendre au sérieux et à qui il n'accorde son amitié qu'au prix de mille farces, Mozart a composé quatre concertos pour cor et orchestre.

Il émaille le rondo du premier Concerto en Ré majeur, K. 412, d'apostrophes saugrenues: « *Adagio — a lei Signor Asino — animo — presto — idiot! — da bravo — corragio — bestia — bravo poveretto — respira un poco! — avanti! questo poi va al meglio — ah! trillo de pecore — grazie al Ciel! basta, basta!* »

Sur le deuxième Concerto en Mi bémol majeur, K. 417, il écrit: « Wolfgang Amadeus Mozart a eu pitié de Leutgeb, âne, bœuf et idiot, le 27 mai 1783, à Vienne. »

Le quatrième Concerto en Mi bémol majeur, K. 495, terminé le 26 juin 1786, est noté à l'encre bleue, verte, rouge et noire. Il semble que tout ce qui a trait au pauvre Leutgeb porte Mozart à la plaisanterie amicale; mais les quatre concertos qu'il a écrits pour lui sont fort beaux, principalement le quatrième dont le mouvement lent est une romance fort expressive.

Ainsi donc, en cet été 1786, l'un des plus heureux de son existence, Mozart partage son temps entre les Jacquin et ses amis Thomas Attwood, Nancy et Stephen Storace et Michael Kelly.

C'est pour la jouer avec son élève Franziska von Jacquin que Mozart termine, le 1er août, la Sonate en Fa majeur, K. 497, digne de figurer auprès des chefs-d'œuvre de sa musique de chambre, et la plus remarquable des sept compositions qu'il a laissées pour piano à quatre mains — le genre amical par excellence.

Pour elle, il en écrira une seconde, en mai 1787 (en Do majeur, K. 521), fort brillante, « assez difficile » selon lui, mais moins personnelle.

* * *

1. Adagio; allegro. Précédé de son introduction lente, *l'allegro* assume des proportions quasi symphoniques. Mozart y célèbre l'heureux mariage du style galant et du style savant, à l'entière satisfaction des connaisseurs et des non-connaisseurs.

2. Andante en Si bémol majeur. Grand duo d'amour d'*opera seria,* noble et solennel. La sonate à quatre mains a, sur la sonate solo, l'avantage d'une sonorité plus grande et plus riche, ainsi que la possibilité de se livrer au mermeilleux jeu des imitations.

3. Allegro. Ce brillant finale comporte plusieurs thèmes, tantôt espiègles et capricieux, tantôt aimables et sensuels, que Mozart exploite d'une manière assez fantaisiste. Les deux pianistes doivent apporter à l'exécution une attention constante, car le morceau est semé de pièges techniques imprévisibles.

27

1786

Trio pour piano, clarinette et alto en Mi bémol majeur, K. 498

1. **Andante**
2. **Menuet; trio en sol mineur**
3. **Allegretto**

Le 5 août, quatre jours après avoir terminé la Sonate pour piano à quatre mains en Fa majeur, pour Franziska von Jacquin, Mozart lui dédie une nouvelle œuvre: le Trio pour piano, clarinette et alto en Mi bémol majeur, K. 498.

Une légende veut que ce trio ait été écrit dans le jardin des Jacquin, pendant une partie de quilles. Il n'est pas impossible que ce soit dans de telles circonstances que Mozart ait tracé les grandes lignes de la composition de cette œuvre maîtresse. Ce qui est le plus étonnant reste qu'il ait pu concevoir simultanément deux œuvres aussi différentes que la sonate à quatre mains et ce trio, et les écrire à quatre jours d'intervalle.

Le 19 août, à peine quatorze jours plus tard, Mozart écrira encore le magnifique Quatuor à cordes en Ré majeur, K. 499.

L'année 1784 a été donnée, précédemment, comme un exemple d'une année fort productive, dans la vie de Mozart; 1786 l'est encore davantage.

En voici le bilan:

10 janvier: Rondo pour piano en Ré majeur, K. 485;

14 janvier: 2 chants maçonniques, K. 483 et 484;

3 février: « Der Schauspieldirektor », K. 486;

2 mars: Concerto pour piano en La majeur, no 23, K. 488;

10 mars: deux morceaux pour la reprise d'« Idomeneo », K. 489 et 490;

24 mars: Concerto pour piano en do mineur, no 24, K. 491;

1er mai: « Le Nozze di Figaro », K. 492 (date de la 1ère représentation);

3 juin: Quatuor pour piano et cordes en Mi bémol majeur, K. 493;

10 juin: Rondo pour piano en Fa majeur, K. 494;

26 juin: Concerto pour cor en Mi bémol majeur, no 4, K. 495;

8 juillet: Trio pour piano, violon et violoncelle en Sol majeur, K. 496;

27 juillet: 12 Duos pour deux cors de basset, K. 487;

1er août: Sonate pour piano à quatre mains en Fa majeur, K. 497;

5 août: Trio pour piano, clarinette et alto en Mi bémol majeur, K. 498;

19 août: Quatuor à cordes en Ré majeur, K. 499 (« Hoffmeister »);

12 septembre: Variations pour piano en Si bémol majeur, K. 500;

4 novembre: Andante varié pour piano à quatre mains en Sol majeur, K. 501;

18 novembre: Trio pour piano, violon et violoncelle en Si bémol majeur, K. 502;

4 décembre: Concerto pour piano en Do majeur, no 25, K. 503;

6 décembre: Symphonie en Ré majeur, no 38, K. 504 (« Prague »);

26 décembre: « Ch'io mi scordi di te?», K. 505.

Fräulein von Jacquin au piano, Mozart lui-même à l'alto et le clarinettiste Anton Stadler ont, sans doute été, les premiers interprètes du Trio en Mi bémol majeur, à l'un des mercredis musicaux des Jacquin.

Depuis qu'il a découvert la clarinette, à Londres, en 1764, Mozart a conçu une prédilection pour cet instrument souple et expressif, dont la voix est tellement plus chaleureuse que celle, aigrelette, du hautbois. Et, pour la clarinette, il composera trois chefs-d'oeuvre: le Trio en Mi bémol majeur, K. 498, le Quintette en La majeur, K. 581, et le Concerto en La majeur, K. 622.

Il faut dire, cependant, qu'à l'époque de la composition du Trio des quilles, la clarinette est encore un instrument nouveau qui compte peu d'amateurs. Aussi, lors de la publication, Artaria inscrira-t-il prudemment, sur la couverture: « *Trio per il Clavicembalo o Forte Piano con l'accom-*

pagnamento d'un Violine e Viola. La parte del Violino si puo eseguire anche con un Clarinetto ».

Mais c'est bel et bien à une clarinette que pensait Mozart en concevant son trio, et non à un violon. La clarinette et l'alto colorent d'une façon inusitée cette œuvre originale. Bien que la voix brillante de la clarinette ne couvre jamais celle plus ténue de l'instrument à cordes, l'alto n'en tient pas moins, au cours des trois mouvements, un rôle subordonné à celui de sa compagne.

Mozart a noté les trois parties de ce trio avec une retenue exceptionnelle, comme s'il avait tenu à ne confier, dans cette œuvre heureuse, que des sentiments intimes et tendres.

Sur le plan de la forme, le Trio des quilles innove: un *andante* au lieu d'un *allegro* initial, et, en second lieu, un menuet plutôt qu'un mouvement lent.

* * *

1. Andante. Ce mouvement en 6/8 propose un premier sujet affirmatif, orné d'un gracieux et insistant *grupetto*, et un thème secondaire assez peu contrastant quoique plus lyrique. Un morceau de sonate délicatement charpenté, d'une écriture toujours claire et limpide, et auquel la sonorité de la clarinette confère quelque chose de poignant.

2. Menuet; trio en sol mineur. L'aimable et vigoureux menuet entoure un trio auquel les triolets de l'alto donnent un rythme trépidant. La coda combine les éléments du menuet et du trio.

3. Allegretto. Dans le deuxième couplet de ce rondo final très concertant, les triolets du trio du menuet réapparaissent, tout d'abord au violon, puis à la clarinette (régistre grave de chalumeau). Cet épisode en do mineur est le plus étoffé du morceau, le deuxième couplet d'un rondo lui tenant généralement lieu de développement. Dans le troisième couplet, Mozart reprend (sans la syncope) le second sujet de l'*allegro* initial du Quatuor pour piano et cordes en sol mineur, K. 478. Pour finir, nouvelle et joyeuse version du refrain.

28

1786 | Quatuor à cordes en Ré majeur, K. 499 ("Hoffmeister")

1. Allegretto
2. Menuet; trio en ré mineur
3. Adagio en Sol majeur
4. Allegro

Le 8 août, Mozart écrit à un certain Sebastian Winter, valet et musicien attaché à la cour du prince de Fürstenberg, à Donaueschingen (et qui avait été, en 1764, le coiffeur des Mozart, à Paris), afin de négocier la vente d'un certain nombre de ses œuvres: « Si Son Altesse voulait me faire la grâce de me commander, chaque année, quelques symphonies, quatuors et concertos pour divers instruments, ou toute autre composition de son choix, et de m'assurer une rémunération annuelle régulière, alors Son Altesse serait servie d'une manière plus rapide et plus satisfaisante, et moi-même, assuré de cette commission, je pourrais travailler plus tranquillement ».

Mozart joint une liste de compositions récentes à sa lettre qu'il termine par ces mots: « J'espère que Son Altesse ne se méprendra pas sur le sens de ma proposition, advenant qu'elle ne lui convienne pas, car elle m'a été inspirée par un désir sincère de bien servir Son Altesse. Dans ma situation, cela ne saurait se faire que si je puis compter sur une aide certaine et laisser tomber des travaux secondaires ».

Le 30 septembre, Mozart enverra trois symphonies et trois concertos au prince de Fürstenberg, avec une note explicative à l'adresse de Sebastian Winter, sur la manière de transporter les parties de clarinettes du Concerto en La majeur, K. 488, au cas où il ne s'en trouverait pas à Donaueschingen.

Aucun arrangement avantageux ne résultera de cette tentative. Mozart recevra 143 florins et demi pour les frais de copie de ses œuvres et l'on n'entendra plus parler de Sebastian Winter.

Le 19 août, lorsqu'il termine un grand Quatuor à cordes en Ré majeur à l'intention de l'éditeur Hoffmeister (pour s'acquitter, sans doute, de quelque dette), Mozart, certes, est célèbre, à Vienne, comme interprète de ses concertos pour piano et, principalement, comme auteur de « L'Enlèvement au sérail » — le seul de ses cinq grands opéras à avoir réellement remporté du succès de son vivant; mais il n'est pas encore parvenu à s'assurer cette « rémunération annuelle régulière » qui lui permettrait de « travailler plus tranquillement ».

Il n'y parviendra jamais. Les Quatuors à Haydn et « Les Noces de Figaro » n'ont rien ajouté à sa gloire. Au contraire: à sa réputation de virtuose du piano est venue se greffer celle de compositeur « difficile », qui n'écrit pas pour le grand public, mais pour un petit cercle de connais-seurs.

Que son étoile commence à pâlir, nul ne le sait mieux que Mozart. N'avait-il pas prédit, en juin 1781, que les Viennois étaient versatiles, inconstants dans leurs affections, et qu'ils finiraient bien, un jour, par se lasser aussi de lui?

Ses prédictions se réalisent. Mais il avait aussi prophétisé que, dans l'intervalle, il serait devenu riche — ce qui est bien loin d'être le cas, en ce mois d'août 1786.

*   *   *

Exception faite du Quatuor « Hoffmeister », les quatuors à cordes de Mozart ont tous été conçus en série: les trois Divertimentos de 1772, les six Quatuors Milanais de 1772-73, les six Quatuors Viennois de 1773 et les six Quatuors à Haydn. Il composera encore, en 1789, et 1790, les trois Quatuors Prussiens, d'une série de six comman-dés par Frederick Wilhelm II de Prusse et que la mort l'empêchera de compléter.

*   *   *

1. Allegretto.   Le premier mouvement est presque entiè-rement bâti sur un thème de marche, présenté tout d'abord à l'unisson par le quatuor, et formé de deux brefs motifs rythmiques se prêtant admirablement au jeu du contre-point. Un second sujet emphatique et un troisième, proposant pourtant l'utilisation des triolets, n'interviennent que dans l'exposition et la récapitulation. (Cependant, l'idée des triolets est émise et Mozart la reprendra.) Le développement, si riche en modulations ingénieuses, ne se préoccupe que du thème de marche initial dont Mozart se joue avec une légèreté charmante. Un morceau d'une unité parfaite.

2. Menuet; trio en ré mineur. L'élégant et vigoureux menuet comporte quatre parties instrumentales remarquablement indépendantes. Ecriture fine et délicate du trio que des triolets frémissants convertissent, longtemps avant Mendelssohn et Berlioz, en un véritable petit scherzo de la Reine Mab.

3. Adagio en Sol majeur. Quatre personnages conversent dans l'intimité, mais sur un ton généralement détaché; seul le premier violon a, parfois, des moments d'exaltation. Tout le morceau est ponctué d'accents impérieux. Comme dans l'*allegretto,* c'est au premier sujet affirmatif de cet *adagio* que Mozart s'intéresse principalement.

4. Allegro. Les triolets réapparaissent, ici, pour former un thème fragmentaire, interrompu deux fois par des mesures entières de silence, et que Mozart opposera au second sujet (mesures 44 à 59), au cours du développement. Il n'y a plus rien de joli ni d'amusant dans cette musique qui justifie la réputation de compositeur « difficile » de Mozart. Audaces harmoniques déroutantes et contrepoint sévère. Pourtant, que d''habileté dans ce finale qui voltige sans cesse, se renvoyant l'idée de ce triolet, émise en premier lieu dans l'*allegretto*, et dont il est l'éclosion prodigieuse!

1786

**Oeuvres écrites après le 19 août
jusqu'au 4 décembre 1786**

Variations pour piano en Si bémol majeur, K. 500
Andante pour piano à quatre mains en Sol majeur, K. 501
*Trio pour piano, violon et violoncelle en Si bémol majeur,
K. 502*

29

1786 | *Concerto pour piano et orchestre en Do majeur, no 25, K. 503*

1. **Allegro mæstoso**
2. **Andante en Fa majeur**
3. **Allegretto**

Le 18 octobre, à l'époque où Mozart échafaude avec ses amis anglais le projet d'un grand voyage en Angleterre, Constanze met au monde un fils qui reçoit les noms de Johann Thomas Leopold.

Il ne pouvait être question de laisser la mère seule, à Vienne, avec son nouveau-né et Karl, maintenant âgé de deux ans; il ne pouvait être question, non plus, d'emmener les enfants.

Ayant appris que son père gardait chez lui, à Salzbourg, le fils de Nannerl, Mozart lui écrit pour lui demander de s'occuper aussi de ses propres enfants, pendant un certain temps, puisqu'il avait l'aide domestique requise.

Constanze Mozart.
Miniature peinte à
Vienne en 1783.

Le 17 novembre, Leopold écrit à sa fille: « J'ai dû répondre aujourd'hui à une lettre de ton frère, ce qui m'a pris un temps considérable. Aussi, je serai bref . . . Tu comprendras que j'ai dû m'exprimer avec fermeté quant tu sauras qu'il ne me demandait rien moins que de me charger de ses deux enfants, se proposant d'entreprendre un voyage en Allemagne jusqu'en Angleterre, à l'époque du carnaval . . . Quel bel arrangement! Ils n'auraient qu'à partir en voyage — ils pourraient bien mourir ou même s'établir en Angleterre — et je devrais leur courir après avec les enfants. Pour ce qui est des indemnités qu'il me propose pour les enfants et les bonnes qui s'en occuperaient, eh bien, tant pis! Qu'il le veuille ou non, ton frère ne pourra que trouver mes excuses claires et nettes ».

Le jour même où Leopold rédige sa lettre, Wolfgang, à Vienne, enterre son petit Johann Thomas, mort deux jours plus tôt, à peine âgé d'un mois. On sent la tristesse de Mozart à la gravité qui se dégage de deux nouvelles œuvres qu'il termine coup sur coup, au début de décembre: le Concerto pour piano en Do majeur, no 25, K. 503, le 4, et la Symphonie en Ré majeur, no 38, K. 504, le 6.

Le 18 décembre a lieu la neuvième et dernière représentation des « Noces de Figaro », à Vienne; cet ouvrage n'y sera pas repris avant juillet 1789.

L'opéra « Una Cosa rara » de Martin y Soler prend l'affiche au Burgtheater où il connaîtra un immense succès; Mozart en fera bientôt jouer un motif par l'orchestre qui accompagne le souper de Don Giovanni.

Aux environs de Noël, il reçoit une invitation du comte Thun, accompagnée d'une lettre collective des musiciens de Prague, pour l'inciter à venir dans cette ville diriger une représentation de son « Figaro ».

*   *   *

1. Allegro mæstoso. Le mouvement commence par une série d'accords majestueux: c'est l'exposition la plus grandiose de tous les concertos pour piano de Mozart. Du matériel thématique se détache bientôt, un motif rythmique qui va, peu à peu, envahir tout le morceau et lui donner son caractère héroïque: ce sont les quatre notes du thème du Destin de la cinquième Symphonie de Beethoven.

2. Andante en Fa majeur. A la grandeur solennelle du premier mouvement succèdent la dignité et la réserve de ce magnifique duo du piano et des bois, sur un discret accompagnement de cordes. Mozart l'a conçu dans l'esprit de l'air de Susanna au jardin: « Deh vieni, non tardar », également une *andante* en Fa majeur.

3. Allegretto. Grâce et charme du refrain de ce rondo dans lequel on retrouve les éléments de marche du premier mouvement, mais dénués de leur imposante majesté. Au cours du deuxième couplet, après avoir fait entendre un thème énergique en la mineur, Mozart plante trois accords d'orchestre et nous livre, en Fa majeur, cette fois, une mélodie d'une bouleversante expressivité, mais si simple que seuls les vrais mozartiens en pourront goûter toute la beauté.

30
1786 | "Ch'io mi scordi di te?", K. 505

Le 26 décembre, Mozart inscrit une nouvelle œuvre à son catalogue thématique: la scène dramatique et rondo pour soprano, piano obligé et orchestre, « Ch'io mi scordi di te? », avec la mention « für Madselle Storace und mich. »

Dans ce chant d'adieu, offert à Nancy Storace avant son départ imminent pour l'Angleterre, Mozart exprime sans retenue la tendresse qu'il éprouve à l'égard de celle qui avait été la ravissante Susanna des « Noces de Figaro » et sa tristesse de la laisser partir sans lui.

Et il tient à insérer, pour son propre usage, une partie de piano qui souligne et ponctue les paroles fort significatives du rondo: « Ne crains rien, cher amour, mon cœur toujours t'appartiendra ».

Nancy Storace et Mozart se connaissaient depuis le temps des premiers Quatuors à Haydn. Ils avaient traversé ensemble les cabales de « Figaro » et, avec Michael Kelly, elle l'avait soutenu pendant cette crise. Ils avaient projeté de faire ensemble une tournée en Italie, en Allemagne et en Angleterre — un beau rêve qui ne pouvait se réaliser. Ils étaient unis par une profonde amitié.

Silhouette de Mozart
gravée par
Löschenkohl,
en 1786.

1786

« Ch'io mi scordi di te? » ne dissimule rien des sentiments que Mozart porte à la jeune femme; on y entend la voix de Mlle Storace échanger avec le piano de Mozart les promesses d'un éternel amour: passion dans le récitatif, tendresse et émotion dans le rondo.

Des sentiments de la cantatrice pour Mozart, cependant, nous ne savons rien. (Les lettres qu'elle a certainement écrites d'Angleterre au compositeur ont disparu.) Ce qu'elle admirait en l'artiste, on peut facilement l'imaginer, mais que pensait-elle de l'homme, de cet homme dont les nombreux portraits, faux pour la plupart, ne nous offrent qu'une image confuse et contradictoire?

Mozart était un homme de constitution fragile. Il avait la tête plutôt grosse, les yeux bleus, le nez fort, les mains petites et potelées.

« C'était un homme remarquablement petit, écrit Michael Kelly, dans ses "Mémoires", très maigre et pâle, avec une profusion de beaux cheveux fins dont il était extrêmement fier ... Il avait bon cœur et il était toujours prêt à rendre service; mais quand il jouait, il était si susceptible que si l'on faisait le moindre bruit, il s'arrêtait tout de suite. »

*   *   *

L'orchestre qui accompagne cette scène dramatique se compose, outre le piano obligé, de deux clarinettes, deux bassons, deux cors et les cordes.

Les paroles du récitatif sont d'un auteur inconnu — probablement de Mozart lui-même. Celles du rondo, signées par l'abbé Varesco, avaient été utilisées dans l'air pour ténor, « Non temer, amato bene », K. 490, composé neuf mois auparavant, pour une reprise d'« Idomeneo ». (Cet air, comportant un solo de violon destiné à l'ami de Mozart, le comte von Hatzfeld, est beau, mais il est dépourvu de la chaleur et de la force d'expression qui font de l'offrande musicale à Nancy Storace un chef-d'œuvre.)

* * *

1. Récitatif: « Ch'io mi scordi di te? »   Les premières paroles sont un douloureux cri de protestation de l'héroïne: « Moi, t'oublier jamais? » Puis, elle chante: « Que vienne la mort, je l'attendrai avec fermeté . . . Mais que je puisse chérir un autre visage et donner à un autre homme mon affection, comment pourrais-je seulement l'imaginer! Ah, j'en mourrais de douleur ». Sur ces mots, chantés en sol mineur, s'achève le récitatif. En deux mesures, Mozart a modulé en Mi bémol majeur et introduit le rondo.

2. Rondo en Mi bémol majeur: « Non temer, amato bene ». Le morceau se compose tout d'abord d'un *andante*, lui-même construit selon la forme (A-B-A) du rondo. Le rondo proprement dit est marqué *allegretto*; il comporte un refrain, trois couplets (le second, en do mineur, formant l'épisode du développement) et une coda. La beauté profonde du dialogue qui s'établit, dès l'*andante,* entre la voix et le piano, fait de ces pages un chef-d'œuvre absolument unique dans l'histoire des œuvres de Mozart. Où trouvera-

1786

t-on, d'ailleurs, dans toute la littérature musicale, des ser-
ments d'amour exprimés avec autant de véhémence?

31

1786

Symphonie en Ré majeur, no 38, K. 504 ("Prague")

1. **Adagio; allegro**
2. **Andante en Sol majeur**
3. **Presto**

Le 9 janvier 1787, Mozart se met en route pour Prague en compagnie de Constanze et de son futur beau-frère, le violoniste Franz de Paula Hofer, qui doit épouser Josepha Weber l'été suivant.

C'est le premier des trois voyages de Mozart à Prague, cette ville où on l'admire sans réserve depuis les représentations de « L'Enlèvement au sérail », en 1782. On comprend comment les Praguois, opprimés par l'empereur d'Autriche, avaient fait fête à « Figaro », l'opéra de la liberté!

Le comte Johann Thun, grand admirateur de Mozart et son frère maçon, accueille les voyageurs chez lui et veille à faire installer un piano dans la chambre du compositeur. Il organise des séances de musique de chambre à son intention et l'emmène au théâtre entendre « Le Gare generose » de son ami Paisiello.

Mozart est enchanté de revoir Franz et Josepha Duschek, ses amis depuis maintenant dix ans; après la fatigue des derniers mois, il parvient à se détendre dans ce milieu chaleureux où il se sent aimé et admiré.

Il écrit à Gottfried von Jacquin pour lui raconter qu'il a vu, dans un bal, des danseurs évoluer aux sons de la musique de son opéra arrangée en danses allemandes. « Car ici, écrit-il, l'on ne parle que de "Figaro". L'on ne joue, l'on ne chante, l'on ne siffle que "Figaro", "Figaro" et encore "Figaro". C'est certainement un très grand honneur pour moi! »

Ce n'est pas à Prague, semble-t-il, que le public va s'aviser de trouver « Figaro » trop long ou trop difficile!

Le 17 janvier, les Mozart et Hofer assistent à une représentation de l'opéra. A son entrée dans la salle, le compositeur est salué par un tonnerre d'applaudissements.

Le 19, a lieu un concert au cours duquel Mozart dirige sa Symphonie en Ré majeur, terminée le 6 décembre 1786.

Ce concert remporte un succès comme il ne s'en est encore jamais vu à Prague. La musique terminée, Mozart doit improviser au piano pendant une demi-heure; chaque fois qu'il veut quitter l'instrument, l'auditoire le force à y reprendre place.

Tout à coup, quelqu'un dans la salle crie: « Figaro »!

Et Mozart d'improviser longuement sur l'air « Non piu

andrai ». Dans la salle c'est un délire d'enthousiasme, une ovation qui n'en finit plus.

Le lendemain, Mozart dirige une triomphale représentation des « Noces de Figaro ».

Ces succès comptent parmi les plus magnifiques de toute son existence. Aussi le nom de cette ville amie est-il resté attaché à la Symphonie en Ré majeur.

*   *   *

C'est la première fois, depuis la Symphonie en Do majeur, écrite à Linz en 1783, que Mozart aborde le genre symphonique. On l'appelle la « Symphonie sans menuet ». Ce n'est pourtant pas la première fois que Mozart n'en met pas dans une symphonie: la « Symphonie no 33, en Si bémol majeur, K. 319; no 34, en Do majeur, K. 338; et no 36, la Symphonie de Linz, K. 425, en sont également dépourvues.

L'orchestration de la Symphonie en Ré majeur ne comporte pas de clarinettes; des trompettes lui confèrent une sonorité brillante.

*   *   *

1. Adagio; allegro. Un majestueux préambule, chargé d'inquiétude, précède un *allegro* à la fois joyeux et mélancolique. Le développement est le plus fouillé de tous les premiers mouvements des symphonies de Mozart. Une esquisse récemment découverte montrerait avec quel soin il a élaboré les nombreux motifs servant à sa combinaison contrapuntique.

2. Andante en Sol majeur. Un chant subtil, poétique, est tout d'abord présenté. Le second sujet est une figure rythmique qui n'a l'air de rien mais qui va, bientôt, assumer un rôle important. On sent la passion sous les apparences aimables de ce morceau, mais elle n'éclate jamais avec force. Douce tristesse et sentiments élevés.

3. Presto. Pour plaire aux admirateurs praguois de « Figaro », Mozart tire le thème principal de son finale du *duettino* de Susanna et Cherubino: «Aprite, presto aprite». Il faut, cependant, avoir l'oreille fine pour le reconnaître; dans l'opéra, ce motif, qui sert d'introduction au duo, est joué très rapidement. Un mouvement d'une rigueur classique, vigoureux et d'une franche bonne humeur.

**Oeuvres écrites entre le 26 décembre 1786
et le 16 mai 1787**

6 Danses allemandes pour orchestre, K. 509
Rondo pour piano en la mineur, K. 511
Air « Alcandro lo confesso », K. 512
Air « Mentre ti lascio », K. 513
Rondo pour cor et orchestre en Ré majeur, K. 514
Quintette à cordes en do mineur, K. 406
Quintette à cordes en Do majeur, K. 515.

32

1787

Quintette à cordes en sol mineur, K. 516

1. **Allegro**
2. **Menuet; trio en Sol majeur**
3. **Adagio ma non troppo en Mi bémol majeur**
4. **Adagio en sol mineur; allegro en Sol majeur**

A Prague, entouré de l'admiration générale, Mozart s'en donne à cœur joie.

Pour un bal, il écrit les six Danses allemandes, K. 509, utilisant pour la première fois, dans sa musique de danse, un grand orchestre: piccolo, flûtes, hautbois, clarinettes, bassons, cors, trompettes, timbales et les cordes sans altos, suivant la coutume.

Malgré les honneurs dont il est comblé, il lui tarde, pourtant de rentrer à Vienne.

Ses succès praguois lui auront rapporté, outre de jolis bénéfices, une commande de Bondini, le directeur de la troupe qui a chanté « Les Noces de Figaro », pour un nouvel opéra italien sur un sujet de son choix; un cachet lui sera versé sitôt la partition complétée, ainsi que des indemnités destinées à couvrir les frais de voyage et de séjour, quand il reviendra à Prague mettre les répétitions en marche, à la fin de l'année.

Le 10 février, Mozart se retrouve à Vienne avec Constanze pour apprendre, avec stupeur, la mort subite, à Bonn, de son cher ami, le comte August von Hatzfeld.

Un peu plus tard, il lui faut encore assister, le cœur serré, au départ de Thomas Attwood, de Stephen et de Nancy Storace.

Michael Kelly s'en va, lui aussi: « J'allai prendre congé de l'immortel Mozart. J'avais peine à retenir mes larmes et, en nous séparant, nous pleurions tous les deux. »

Le 4 avril, alors que Constanze est de nouveau enceinte, Mozart reçoit de mauvaises nouvelles de Salzbourg; cette fois, c'est son père qui est gravement malade.

Il lui écrit aussitôt une lettre pleine de résignation et d'espoir, mais accusant en même temps une profonde angoisse: « A ce moment même, je reçois des nouvelles qui me consternent au plus haut point, d'autant plus que j'avais cru comprendre, par votre dernière lettre, et j'en remerciais Dieu, que vous vous portiez bien. Mais, à présent, j'apprends que vous êtes très malade. Je n'ai pas besoin de vous dire avec quelle impatience j'attends de vous, personnellement, des nouvelles rassurantes. J'y compte absolument, bien que j'aie maintenant pris l'habitude de m'attendre toujours au pire à chaque moment de la vie. Comme la mort est, si l'on y pense sérieusement, le véritable but de notre existence, je me suis, depuis quelques années, si inti-

1787

mement familiarisé avec cette meilleure et plus fidèle amie de l'homme, que son image non seulement ne m'effraye plus, mais, au contraire, m'apaise et me console. Et je remercie Dieu de m'avoir accordé la grâce (vous savez ce que je veux dire) d'apprendre que la mort est la *clef* qui ouvre la porte de notre vrai bonheur. Je ne me couche jamais, le soir, sans penser que — si jeune que je sois — je ne me réveillerai peut-être pas le lendemain. Et, pourtant, personne de mon entourage ne saurait dire que je sois de fréquentation morose ou attristante. Je remercie chaque jour mon Créateur pour cette grâce que je souhaite de tout cœur à chacun de mes semblables ... »

Dans la même lettre, Mozart parle à son père de la mort subite du comte von Hatzfeld: « Il avait tout juste trente et un ans, comme moi. Je ne le plains pas, mais je me plains, moi, sincèrement, ainsi que tous ceux qui le connaissaient aussi bien que moi. J'espère qu'au moment où j'écris ces lignes, vous vous sentez mieux. Mais, si, contrairement à toute prévision, il n'en est pas ainsi, je vous supplie ... de ne m'en rien cacher, mais de m'écrire ou de me faire écrire toute la vérité, afin que je puisse, aussi rapidement qu'il soit humainement possible, venir me retrouver dans vos bras. Je vous en conjure, au nom de tout ce qui nous est sacré, à vous et à moi. Néanmoins, j'espère recevoir bientôt de vous une lettre rassurante. C'est dans cet agréable espoir que moi et ma femme, et notre petit Karl, vous baisons mille fois les mains. Je demeure à jamais votre fils très obéissant, W. A. Mozart ».

En ce printemps 1787, Mozart écrit deux quintettes à cor-

Ludwig van Beethoven, d'après la lithographie d'une silhouette de Joseph Neesen. Vers 1786.

1787

des: en Do majeur, K. 515, et en sol mineur, K. 516; ce dernier révèle l'angoisse et la tristesse que lui causent le départ d'amis très chers, la maladie de son père et la mort de Hatzfeld; c'est l'une de ses œuvres les plus confidentielles.

A la fin de 1783, en rentrant de Salzbourg où ils avaient appris la mort de leur fils Raimund Leopold, les Mozart avaient déménagé.

Le même phénomène se produit à leur retour de Prague. Ils quittent leur grand appartement de la Landstrasse où est mort, il y a à peine quelques mois, le petit Johann Thomas, pour un nouveau logis, dans la même rue, à deux pas de la demeure des Jacquin.

C'est dans ce nouveau logis que Mozart termine, le 16 mai, le Quintette à cordes en sol mineur.

Et c'est là, également, qu'à la même époque, il reçoit la visite d'un jeune musicien de seize ans, né à Bonn, et qui vient compléter ses études musicales à Vienne: Ludwig van Beethoven.

On a reproché à Mozart d'avoir reçu Beethoven avec indifférence. Mozart n'aimait sans doute pas les enfants prodiges; il avait trop souffert, dans son enfance, d'en avoir été un lui-même et il se peut qu'il se soit méfié de ce jeune Beethoven dont on disait trop de bien.

Le jour de la visite du jeune Beethoven, Mozart n'était pas seul: des amis avaient envahi sa maison. Il emmène donc son visiteur dans une pièce voisine et l'écoute jouer un moment d'une oreille assez distraite.

Beethoven lui demande, alors, de lui fournir un thème sur lequel il se met à improviser, tout à coup, de façon si remarquable, que Mozart s'empresse d'aller prédire à ses amis: « Attention à ce garçon. Vous verrez, un jour, il fera parler de lui dans le monde. »

Au début de juillet, Beethoven quittera Vienne; il n'y reviendra qu'en 1792, après la mort de Mozart.

On ignore pour qui furent écrits les deux quintettes à cordes du printemps 1787 et aussi pourquoi, à la même époque, Mozart arrange en quintette à cordes sa poignante Sérénade en do mineur pour vents de 1782. Peut-être destine-t-il ces œuvres à Frederick Wilhelm II de Prusse, qui était violoncelliste amateur, et pour qui il composera, en 1789 et 1790, trois quatuors à cordes . . .

Par contre, l'on sait que les deux quintettes à cordes qui vont suivre: en Ré majeur, K. 593, et en Mi bémol majeur, K. 614, lui seront commandés par un autre amateur, le riche marchand hongrois Johann Tost.

* * *

1. Allegro. Ce morceau a la fièvre. Sa sonorité est tragique et ses rythmes obsédants; il est, aussi, extrêmement brillant et chantant. Par sa fébrilité rythmique et son intense expressivité, cet *allegro* fait penser au premier mouvement de la Symphonie no 40, en sol mineur.

2. Menuet, trio en Sol majeur. Un menuet agité, traversé de *forte* qui sont comme des cris d'angoisse. Beauté simple et pure du trio, apportant un bref moment d'accalmie.

3. Adagio ma non troppo en Mi bémol majeur. Une admirable aria, aux accents déchirants et aux rythmes inquiétants. Sourdines aux cinq cordes. L'atmosphère est lourde, parfois presque suffocante.

4. Adagio en sol mineur; allegro en Sol majeur. L'introduction lente, où l'on entend à nouveau le rythme de batterie qui agite les trois premiers mouvements, et qui en est l'élément unificateur, débouche sur un *allegro* destiné, comme tant de finales d'œuvres tragiques de Mozart, à balayer tristesse et idées noires. Un morceau insouciant, sans frivolité, dansant et, au demeurant, d'une gaieté un peu forcée.

Les sept quintettes à cordes laissés par Mozart sont tous écrits pour deux violons, deux altos et un violoncelle.

Oeuvres écrites entre le 16 mai et le 10 août 1787

Six lieder: «Die Alte «, K. 517
«Die Verschweigung «, K. 518
« Das Lied der Trennung », K. 519
« Als Luise . . . », K. 520
« Abendempfindung », K. 523
« An Chloe », K. 524
Sonate pour piano à quatre mains en Do majeur, K. 521
« Une Plaisanterie musicale », K. 522

33

1787

Sérénade
en Sol majeur,
"Eine Kleine
Nachtmusik",
K. 525
"Une petite
musique de nuit"

1. **Allegro**
2. **Romance: andante en Do majeur**
3. **Menuet; trio en Ré majeur**
4. **Allegro**

Le 28 mai, après une brève maladie, Leopold Mozart meurt à Salzbourg, à l'âge de soixante-huit ans. Retenu à Vienne par son travail et sa famille, son fils n'assistera pas à ses funérailles.

Le père et le fils s'étaient beaucoup aimés, autrefois; quand il était enfant, Wolfgang affirmait que son père venait tout de suite après Dieu.

Leopold Mozart. Portrait à l'huile
non signé. Vers 1780.

Plus tard, les choses entre eux s'étaient gâchées. Il y avait eu des disputes, des brouilles momentanées. Leopold désapprouvait la conduite de son fils qu'il accusait d'être instable et frivole. Wolfgang, pour sa part, brûlait d'échapper au despotisme paternel. Il avait quitté Colloredo malgré les objurgations de Leopold et s'était marié contre sa volonté. A la fin, un abîme s'était creusé entre eux.

Après la mort de leur père, Wolfgang et Nannerl s'entendront à l'amiable au sujet de l'héritage. Nannerl renverra à Wolfgang ses partitions laissées dans la maison paternelle, avec des livres ayant appartenu à Leopold. Elle recevra une dernière lettre de son frère le 2 août 1788, puis le frère et la sœur se perdront de vue pour toujours.

Le lendemain de la mort de son père, donc le 29 mai, Mozart écrit au baron von Jacquin un mot pour le prier de remettre à sa sœur Franziska une sonate pour piano à quatre mains qu'il vient d'achever. Le billet se termine par ce post-scriptum: « Je vous annonce qu'en rentrant chez moi, aujourd'hui, j'ai reçu la triste nouvelle de la mort de mon très cher père. Vous vous représentez mon chagrin. »

Brève oraison funèbre. Sans perdre une minute, Mozart se remet à la composition du nouvel opéra pour Prague: « Don Giovanni », un sujet que Lorenzo da Ponte, si l'on en croit les « Mémoires » du librettiste, lui aurait lui-même soumis.

L'on connaît suffisamment Mozart pour deviner, cependant, quelle part étroite il a dû prendre à l'élaboration de cette intrigue tragi-comique si riche en problèmes humains intéressants.

Le mois de juillet est exclusivement consacré à la composition de l'opéra.

Au mois d'août, Mozart interrompt deux fois son travail pour écrire, le 10, en plein deuxième acte de « Don Giovanni », la Sérénade pour cordes en Sol majeur, qu'il baptise lui-même « Eine Kleine Nachtmusik », et, le 24, la magnifique Sonate pour violon et piano, en La majeur, K. 526.

On ignore tout des circonstances qui entourent la composition d' «Une petite musique de nuit ». Nous ne sommes pas, ici, en présence d'un autre quintette à cordes, comme ceux que Mozart vient d'achever, mais bien d'une sérénade pour deux violons, un alto et un violoncelle doublé par une contrebasse.

L'absence d'instruments à vent semble indiquer qu'elle n'était pas destinée à être jouée en plein air. Se peut-il, cependant, qu'une œuvre d'une facture si parfaite, ait été conçue pour accompagner, à quelque réunion mondaine, des invités qui parlent et rient, vont et viennent, boivent et mangent?

Sans doute, car elle n'appartient pas au genre de la musique de chambre. C'est une vraie sérénade, mi-galante, mi-savante, avec une petite fanfare initiale dans le style des sérénades de Salzbourg, des thèmes d'allure populaire, un langage sensuel et gracieux, des mouvements simples, brefs et concis.

Mozart l'écrivit peut-être tout simplement parce que l'idée lui en vint et s'imposa à son esprit par son originalité, comme la Sérénade en do mineur. Ou encore pendant la composition de « Don Giovanni », dans un moment d'euphorie ou dans le but de se détendre, pour le seul plaisir d'inventer la plus parfaite et la plus joyeuse musique de fête.

*   *   *

Dans son catalogue thématique, Mozart a écrit: *« Eine Kleine Nacht Musick, bestehend in einem Allegro, Menuett und Trio. Romance. Menuett und Trio, und Finale ».* Le premier des deux menuets mentionnés par Mozart a été arraché du manuscrit et n'a jamais été retrouvé.

1. Allegro.   Ce morceau, empreint de spontanéité et de grâce candide, est en forme sonate; tout y est posé, digne et beau.

2. Romance: andante en Do Majeur.   Une parenté existe entre cette romance doucement innocente et la romance de Belmonte, dans « L'Enlèvement au sérail »: « Wenn der Freude Trännen fliessen ». Intermède rêveur, traversé par un épisode en do mineur balbutiant de frayeur, qui en brouille momentanément la sérénité.

3. Menuet; trio en Ré majeur.   Le menuet est un modèle de dignité et de pondération, le trio gracieux et tendre comme il se doit, l'écriture d'une suprême élégance.

4. Allegro.   Ce rondo déborde de joie sans nuage. Mozart y chante un refrain viennois si aimablement pimpant et frais, qu'on ne parvient plus à se l'ôter de la tête.

34
Sonate pour violon et piano en La majeur, K. 526

1787

1. **Allegro molto**
2. **Andante en Ré majeur**
3. **Presto**

Lorenzo da Ponte a laissé un récit haut en couleurs, et certainement fort exagéré, de la manière dont il se prit pour rédiger le livret de « Don Giovanni ».

Si l'on en croit le pittoresque abbé, il aurait, à l'époque, travaillé à trois livrets à la fois: le soir à « Don Giovanni » pour Mozart, après avoir lu quelques pages de « L'Enfer » de Dante; le matin à « Axur, Re d'Ormuz » pour Salieri, tiré du « Tarare » de Beaumarchais; enfin, l'après-midi à « L'Arbore di Diana » pour Martin y Soler, le meilleur des trois et probablement de son invention.

Da Ponte restait à sa table douze heures par jour, son Tokay à sa droite, son tabac de Séville à sa gauche. Devant lui, une sonnette lui servait à appeler sa femme de chambre, une charmante petite jeune fille de seize ans. Il buvait force rasades de vin fort, fumait pipe sur pipe, et, prétend-il, abusait de la sonnette.

Quant à Mozart, après avoir terminé « Eine Kleine Nacht-musik », il se replonge pendant quatorze jours dans« Don Giovanni » pour s'interrompre à nouveau, le 24 août, afin d'écrire sa plus belle sonate pour violon et piano: la Sonate en La majeur, K. 526.

Cette œuvre reste sa dernière composition dans ce genre puisque la Sonate en Fa majeur, K. 547, de 1788, ne sera qu'une œuvre sans importance qu'il décrit, dans son catalogue thématique, comme « une sonatine pour piano pour débutants avec un violon ».

Dans sa jeunesse, Mozart avait composé près de vingt-deux sonates pour piano, avec un accompagnement de violon, comme c'était la coutume d'en écrire; ces œuvres pouvaient, le plus souvent, se passer de la participation du violon.

A compter de la Sonate en Do majeur, K. 296, écrite à Mannheim, en 1778, pour son élève Therese Pierron-Serranius, le violon, dans ses sonates piano-violon, commence à s'affranchir. Dans la Sonate en La majeur, il est devenu tout à fait indépendant. Cette œuvre, indéniablement, ouvre la voie aux grandes sonates pour violon et piano de Beethoven.

*   *   *

1. Allegro molto. Grand mouvement en forme sonate,

sur un rythme en 6/8 nerveux, exposant tout de go un thème d'une conception particulièrement ingénieuse. Les éléments concertants y sont abondants. Dans l'impétueux développement, le contrepoint à trois voix est savant sans affectation. La pulsation rythmique du morceau est si irrésistible qu'il faut parler de nouvelle manière de respirer. Bref, une fois encore, fusion de l'ancien et du moderne, dans cette composition si parfaitement intelligente et vivante qu'il faut aussi parler de nouvelle manière de penser et de sentir.

2. Andante en Ré majeur.   L'un des mouvements lents les plus originaux de Mozart. Le piano et le violon énoncent, dès le début, un thème mystérieux qui établit une atmosphère d'un calme envoûtant et incite au plus profond recueillement. Cette musique décrit une vision intérieure d'une insoutenable beauté.

3. Presto.   Tout autant que l'*allegro molto*, ce finale fougueux est une œuvre de pure virtuosité, pleine de finesse et d'esprit, avec, çà et là, des emportements lyriques merveilleux.

35

1787 | *"Don Giovanni",* *K. 527*

Le 3 septembre, Mozart a la douleur de perdre un autre ami, son médecin, le docteur Sigmund Barisani. Pour lui, ce sont toujours les mêmes doléances: ceux qui meurent sont heureux; les malheureux sont ceux qui survivent.

Quelques jours plus tard, il arrive à Prague avec Constanze enceinte de six mois. Son librettiste, Lorenzo da Ponte, vient le rejoindre peu après. Mozart et lui logent dans la même rue, dans des hôtels situés l'un en face de l'autre et si rapprochés que les deux hommes poursuivent leur conversation par la fenêtre.

Malheureusement, da Ponte devra quitter Prague avant la première de « Don Giovanni ».

Mozart a apporté avec lui son opéra à peu près complété; outre l'ouverture, il ne lui reste que quelques morceaux à écrire ou à modifier. Il assiste à toutes les répétitions. Mozart est un excellent metteur en scène et l'on compte sur lui pour rectifier le jeu des chanteurs.

« Tout d'abord, écrit-il à Gottfried von Jacquin, le personnel théâtral d'ici n'est pas aussi fort que celui de Vienne, quand il s'agit d'apprendre à la perfection, et en si peu de temps, un opéra comme celui-ci. Ensuite, j'ai dû constater à mon arrivée que si peu de préparatifs avaient été faits et si peu de dispositions prises qu'il aurait été absolument impossible de le donner hier, le 14. »

« Don Giovanni » avait, en effet, été annoncé pour le 14 septembre, afin de marquer le passage à Prague de l'archiduchesse Maria Theresa de Toscane et de son nouvel époux, le prince Anton de Saxe. Avant la représentation, la direction du théâtre a réclamé aux auteurs une copie du livret pour fins de vérifications.

Mozart et da Ponte eurent-ils peur de scandaliser les distingués invités d'honneur de la ville de Prague, par une intrigue racontant les aventures d'un libertin? Cela est peu probable, mais ils n'en soumettent pas moins un livret incomplet et font tant et si bien qu'à la fin, ce sont « Les Noces de Figaro » qui sont données le 14 septembre.

D'autres retards seront provoqués par l'indisposition d'une chanteuse et, aussi, par certains remaniements que da Ponte doit apporter au livret, à la prière du compositeur. Les deux hommes font, à Prague, la connaissance du célèbre Giovanni Casanova de Seingalt, qui était alors attaché à une riche famille de Bohême en qualité de bibliothécaire.

Rencontre extraordinaire que celle de Mozart, l'immortel auteur de « Don Giovanni »; Casanova, le Don Juan de son temps; et l'abbé da Ponte qui avait écrit son livret dans les vapeurs du Tokay et les bras d'une jeune fille de seize ans!

1787

Après le départ de son librettiste, Mozart quitte l'hôtel des Trois Lions d'Or, où il logeait, pour venir habiter, avec Constanze, chez Franz et Josepha Duschek, dans leur villa Bertramka des faubourgs de Prague. « Je me trouve beaucoup trop à la disposition des autres et trop peu à la mienne, » se plaint-il dans sa lettre à Jacquin.

En général, Mozart participe de bonne grâce aux mondanités, mais il se sent nerveux à la veille de la création de « Don Giovanni ». Que vont penser les bons Praguois, qui avaient tant acclamé « Les Noces de Figaro », de cette nouvelle œuvre si différente de la première et dont le livret est loin d'être parfait, faute d'avoir été longuement élaboré . . .

La tradition veut que ce soit l'avant-veille de la première de « Don Giovanni » que Mozart ait composé l'ouverture de son opéra, pendant que Constanze lui faisait boire du punch et lui racontait des histoires pour le tenir éveillé.

Le 3 novembre, l'« Oberpostzeitung » de Prague annonce, dans un communiqué, que « Don Giovanni ou le Festin de Pierre », l'opéra tant attendu du maître Mozart, a été donné le lundi 29 octobre par la compagnie d'opéra italien de Prague, sous la direction du compositeur; que les connaisseurs s'accordent à dire que rien de tel n'a encore été représenté à Prague; et que cette œuvre extrêmement difficile a été fort bien exécutée malgré le peu de temps consacré aux répétitions.

« Don Giovanni », ayant été écrit pour la troupe qui a chanté « Les Noces de Figaro », comporte, comme ce dernier opéra, trois grands rôles féminins et deux grands rôles masculins. C'est Luigi Bassi, jeune chanteur de vingt et un ans (et la coqueluche de Prague), qui, après avoir chanté le comte Almaviva, crée le rôle de Don Giovanni.

Le 4, Mozart confirme lui-même le succès de son opéra à Gottfried von Jacquin: « Mon opéra a été chanté pour la première fois le 29 octobre et chaudement applaudi. On l'a représenté hier pour la quatrième fois, à mon bénéfice ... Comme j'aimerais que mes bons amis, surtout vous et Bridi, fussiez ici un seul soir pour partager ma joie! Mais peut-être mon opéra sera-t-il finalement monté à Vienne! Je l'espère. Les gens d'ici font tout ce qu'ils peuvent pour me persuader de rester encore deux mois, afin d'écrire un autre opéra. Mais je ne puis accepter cette offre, si flatteuse soit-elle. »

* * *

Dans son catalogue thématique, Mozart qualifie « Don Giovanni, ossia il Dissoluto punito » d'*opera buffa*.

En mai 1788, pour les représentations viennoises de cette œuvre, il supprimera le sextuor final, dotant ainsi l'ouvrage d'une fin tragique, et fera imprimer *dramma giocoso* sur la page frontispice du livret.

Entre tous les opéras de Mozart, « Don Giovanni » est remarquable en ceci que l'on ne sait jamais exactement à quel genre il appartient tant y sont emmêlés les éléments tragiques et les éléments comiques.

1787

La scène du souper du héros avec la statue du commandeur étant la plus dramatique de l'opéra (et celle pour laquelle Mozart a écrit la musique la plus sérieuse), l'on obtient indéniablement un effet saisissant en faisant tomber le rideau sur elle. Telle n'était pas, cependant, à l'origine, l'intention de Mozart et de da Ponte, puisqu'ils avaient donné à « Don Giovanni » un finale comique et moralisateur, dans la tradition de l'*opera buffa*.

Pour plaire derechef au public de Prague, Mozart et da Ponte optent pour une comédie extravagante et bouffonne, dont les personnages assez grossièrement équarris sont loin d'être aussi attachants que ceux des « Noces de Figaro ».

Aussi, n'est-ce plus une comédie subtile aux mouvements complexes qu'ils offrent aux Praguois, mais un grand spectacle, véritable ancêtre de la « musical comedy », plein d'effets étonnants et propre à plaire à tout le monde.

Comme dans « Les Noces de Figaro », le héros du nouvel opéra est un gentilhomme cynique qu'accompagne un valet moqueur. La différence est grande, cependant, entre le fin et rusé Figaro et le balourd Leporello. Et le châtiment réservé à Almaviva aura été bien doux auprès de celui que va connaître Don Giovanni.

« Don Giovanni » a tout pour plaire: gaieté et gravité, humour et farce, libertinage et religion — sans oublier un conflit de classes plus prononcé encore que dans « Figaro ». Bref, la formule ne pouvait rater.

Au moins dix des vingt-quatre numéros de « Don Giovanni » étaient destinés à assurer le succès de l'opéra:

1 — « Madamina » (no 4), l'air fameux du catalogue que brandit Leporello sous le nez de Donna Elvira, accompagné par un orchestre ricaneur;

2 — le *duettino* « La ci darem la mano » de Don Giovanni et Zerlina (no 7), scène de la séduction de la jeune paysanne, subtilement sensuelle;

3 — l'air de Don Giovanni « Finch'han dal vino » (no 11), remarquable d'énergie et de brièveté;

4 — l'air de Zerlina « Batti, batti, o bel Masetto » (no 12), ironique mais tendre;

5 — le finale du premier acte (no 13), avec ses trois orchestres jouant en même temps un menuet, une contredanse et une danse allemande, et son atmosphère d'élégante mascarade;

6 — la *canzonetta* « Deh vieni alla finestra » (no 16), délicieuse sérénade qu'accompagnent une mandoline et les cordes;

7 — l'air « Vedrai, carino » (no 18), au cours duquel Zerlina promet à son époux Masetto le plus doux des remèdes pour le guérir de ses afflictions et lui fait (audacieusement) mettre une main sur son sein;

8 — le grand air d'Ottavio « Il mio tesoro » (no 21), qui donne à l'unique ténor de la distribution sa grande occasion de se faire valoir;

9 — le finale du deuxième acte (no 24), au cours duquel sont introduits trois airs fort à la mode à l'époque et tirés des opéras « Una Cosa rara » de Martin y Soler, « I Due

1787

Litiganti » de Sarti et « Les Noces de Figaro » de Wolfgang Amadeus Mozart — il s'agit, bien entendu, de l'air « Non piu andrai »;

10 — Enfin, toute la scène du souper de Don Giovanni et de la statue, terrifiante avec ses trois trombones, ses effets d'orchestre et la descente aux enfers spectaculaire du héros.

L'on ne saurait passer sous silence l'ouverture en ré mineur, sombre et menaçante, mais comportant aussi des éléments comiques; le grand air d'Elvira « Ah! fuggi il traditor! » (no 8), dont les accents coléreux caractérisent si bien le personnage, et celui d'Anna, « Or sai, chi l'onore » (no 10), grand air de vengeance que précèdent d'importants récitatifs accompagnés; l'admirable trio des masques (adagio en Si bémol majeur) du finale du 1er acte: « Meta di voi qua vadano » (no 17) du pervers Don Giovanni, que l'orchestre souligne de commentaires sarcastiques; et, enfin, le magnifique sextuor « Sola, sola in bujo loco » (no 19), commençant par le cri d'angoisse d'Elvira, terrifiée de se retrouver seule dans l'obscurité.

Le grand air d'Anna, « Non mi dir, bell'idol mio » (no 23), que précède le récitatif « Crudele? Ah no, mio bene! », souleva la fureur de Berlioz qui écrivit, dans ses « Mémoires, » que Mozart s'était rendu coupable, en l'écrivant, du crime le plus odieux que l'on puisse commettre contre le bon goût et le bon sens.

En effet, l'air exprime, tout d'abord, le touchant amour de Donna Anna pour Don Ottavio, avant de se transformer en grand morceau de bravoure, destiné uniquement à faire briller la technique vocale de la chanteuse. Ce sont ces malheureuses roulades que Berlioz ne pouvait pardonner à Mozart — un compositeur qu'il admirait, pourtant, au plus haut point.

Comme la plupart des compositeurs d'opéras de son temps, Mozart devait se soumettre à certaines coutumes et conventions. Un romantique de la trempe de Berlioz, compositeur libre du dix-neuvième siècle, ne pouvait admettre que l'on pût faire des concessions au réalisme théâtral dans le seul but de flatter les dispositions exhibitionistes d'une cantatrice.

Au dix-huitième siècle, tout le monde connaissait l'histoire du célèbre débauché espagnol et personne ne risquait de la prendre au sérieux. Comment, en effet, s'apitoyer sur le sort d'un héros qui, en plein souper avec une statue de pierre, disparaît dans les flammes de l'enfer! Et comment ne pas rire lorsque les autres personnages de la pièce viennent, ensuite, chanter, pour l'édification du public, une petite chanson morale bien enlevante!

Don Giovanni est, en principe, un personnage tragique, esclave d'une inexorable passion qui lui fait désirer toutes les femmes. « Sache, dit-il à Leporello, qu'elles me sont plus nécessaires que le pain que je mange et que l'air que je respire. »

Pourtant, la peur constante de se faire pincer et la honte que lui infligent ses fuites continuelles, lui confèrent un aspect comique. Il doit subir le ridicule, pour conquérir la camériste de Donna Elvira, de se travestir des vêtements de son valet.

Don Giovanni n'est pas le grand rêveur tragique inventé par Cervantes; son cynisme est glacial et son courage inévitable; mais, comme Don Quichotte, il se fait accompagner d'un bouffon dont la poltronnerie sert à mettre en relief sa témérité.

Car Leporello, comme Zerlina et Masetto, est un personnage essentiellement comique.

Donna Anna est un douloureux (ou souffreteux) personnage d'*opera seria,* bien qu'elle soit forcée de participer au sextuor comique de la fin de l'opéra.

Donna Elvira, grande figure tragique de l'œuvre, que la colère transfigure et qui ne rêve que vengeance, se trouve, elle aussi, souvent mêlée à des situations burlesques — lorsqu'elle doit endurer, par exemple, la lecture des conquêtes de son infidèle époux et éprouver l'horreur de succomber une seconde fois à Don Giovanni, en la personne de Leporello revêtu des habits de son maître.

Quant à Don Ottavio, pantin gourmé et ennuyeux, il n'existe que pour accompagner Donna Anna comme un fidèle caniche et interpréter son grand air.

**Oeuvres écrites entre le 29 octobre 1787
et janvier 1788**

Air « Bella mia fiamma », K. 528
Lied « Das Kleinen Friedrichs », K. 529
Lied « Das Traumbild », K. 530
Trio vocal « Grazie agl'inganni tuoi », K. 532

36

1788 | *Sonate pour piano en Fa majeur, K. 533*

1. **Allegro**
2. **Andante en Si bémol majeur**
3. **Rondo en Fa majeur, K. 494 (1786)**

Après la fatigue de la création de « Don Giovanni », Mozart est heureux de prendre quelques jours de repos à la villa Bertramka, chez les Duschek.

Pour le forcer à composer un air qu'il lui a promis et dont il remet sans cesse la rédaction, Josepha Duschek, un jour, l'enferme dans un pavillon du jardin, avec de l'encre, du papier et des plumes. Elle ne l'en laissera sortir, lui dit-elle, que l'air achevé.

Mozart accepte à une condition: il ne cédera l'air que si la cantatrice réussit à le chanter parfaitement, à première vue.

Ce marché conclu, Mozart s'amuse à multiplier les difficultés, ose des modulations inattendues et risque des sauts d'intervalles périlleux. L'on suppose que la Duschek se tira honnêtement d'affaire. Et voilà, d'après les souvenirs

Josepha Duschek. Gravure de
Clar, d'après van Haake.

1788

de Karl Mozart, comment naquit ce second grand air d'adieu dédié à une chanteuse: « Bella mia fiamma », K. 528.

Les Mozart quittent Prague à la mi-novembre. A Vienne, Gluck vient de mourir d'une crise d'apoplexie et, au début de décembre, Joseph II confère à Mozart le poste précédemment occupé par son illustre aîné: celui de compositeur de la chambre impériale et royale.

Mozart ne touchera, cependant, que 800 des 2000 florins attribués à Gluck; philosophe, il essaye de se consoler en se disant que, de toute façon, personne de la chambre n'en perçoit autant.

Sa situation financière est si mauvaise, à cette époque, qu'il doit quitter l'appartement de la Landstrasse pour un logis plus modeste, dans une petite rue, près du Graben.

Dans cette nouvelle demeure, le 27 décembre, Constanze met au monde une fille, Theresia, son quatrième enfant. Karl, le seul des trois fils de Mozart qui ait jusqu'à ce jour survécu, est alors âgé de trois ans.

En janvier 1788, Mozart entreprend d'écrire une sonate pour piano en Fa majeur pour l'éditeur Franz Anton Hoffmeister, pour s'aquitter de dettes contractées envers lui.

Après les deux premiers mouvements, il s'arrête; on n'a jamais découvert pourquoi.

Lors de la publication, Mozart complétera cette sonate inachevée par l'addition d'un rondo composé en juin 1786.

Ce rondo a été, toutefois, remanié de si exquise façon que

l'on est tenté de se demander si ce n'est pas parce que Mozart en était à un tel point satisfait qu'il écrivit, par la suite, un *allegro* et un *andante* pour en faire une sonate . . .

* * *

1. Allegro. Dans ce mouvement solidement contrapuntique, et écrit dans une tonalité majeure, Mozart montre qu'il peut exprimer des sentiments profonds et susciter l'émotion. Plutôt que de terminer cet *allegro* par une coda, Mozart prolonge la récapitulation et reprend un thème qui était apparu seul à la fin de l'exposition. Cette conclusion produit un effet extraordinaire.

2. Andante en Si bémol majeur. Ce mouvement lent d'une étrange beauté s'assombrit, après la double barre, jusqu'à devenir sévère. Il contient un étonnant passage de progressions harmoniques par sixtes, tierces et septièmes, sans parallèle dans l'œuvre de Mozart, et qui s'intègre le plus naturellement du monde au contexte. Ces deux premiers mouvements de sonate ont été conçus pour un piano d'une plus grande étendue que ceux utilisés précédemment par Mozart.

3. Rondo en Fa majeur, K. 494. Les modifications apportées par Mozart à son rondo de 1786 consistent, tout d'abord, en un merveilleux passage en fa mineur, à trois voix, qui donne du poids au morceau, et ensuite en une conclusion plus resserrée, en forme de cadence contrapuntique faisant appel à un régistre plus grave que celui utilisé dans la première partie du rondo. Dans les douze derniè-

1788

res mesures, Mozart énonce une dernière fois le thème du refrain, dans le régistre grave, lui prêtant ainsi un nouveau caractère inquiétant et peu concluant.

Oeuvres écrites du mois de janvier au 22 juin 1788

Contredanse « Donnerwetter », K. 534
Contredanse « La Bataille », K. 535
6 Danses allemandes pour orchestre, K. 536
Concerto pour piano en Ré majeur, no 26, K. 537 (« Couronnement »)
Air « Ah se in Ciel », K. 538
Air « Della sua pace », K. 540a
Duo « Per queste tue », K. 540b
Air « Mi tradi quell'alma ingrata », K. 540c
Ariette « Un Bacio di mano », K. 541

37

1788 | Trio pour piano, violon et violoncelle en Mi majeur, K. 542

1. **Allegro**
2. **Andante grazioso en La majeur**
3. **Allegro**

En janvier 1788, le nouveau compositeur de la chambre impériale et royale Mozart écrit de la musique de danse, comme le lui imposent ses fonctions. L'empereur étant parti guerroyer contre les Turcs, il baptise, avec beaucoup d'à-propos, l'une de ses contredanses: « La Bataille ».

On ignore dans quel but Mozart écrit, en février, le Concerto pour piano en Ré majeur, no 26, K. 537, qu'il ne semble pas avoir joué à Vienne, cette saison-là. Parce qu'en octobre 1790, il le fera entendre à Francfort, à l'occasion du couronnement du futur empereur Leopold II, on l'a surnommé le « Concerto du couronnement ».

Intrigué par les rumeurs qui lui parviennent du succès de « Don Giovanni » à Prague, Joseph II a donné l'ordre de monter l'opéra.

Les répétitions commencent en avril. A la demande du ténor Francesco Morella, le Don Ottavio, Mozart accepte de remplacer « Il mio tesoro » par un air plus facile: « Della sua pace ». Il compose deux autres nouveaux morceaux: le duo Leporello-Zerlina «Per queste tue manine », généralement omis de nos jours, et l'aria « Mi tradi quell'alma ingrate » pour la nouvelle Donna Anna: la célèbre cantatrice Caterina Cavalieri.

C'est le 7 mai, au Burgtheater, et en l'absence de l'empereur, qu'a lieu la création viennoise de « Don Giovanni ». L'opéra sera chanté quatorze fois, au cours de l'année. Da Ponte a raconté qu'il n'avait fait plaisir à personne: « Tout le monde, sauf Mozart, s'imagina qu'il y manquait quelque chose. »

Lorsqu'il l'eut enfin entendu, Joseph II déclara: « L'opéra est divin, et peut-être plus beau encore que « Figaro », mais ce n'est pas un plat pour les dents de mes Viennois. »

« Laissons-leur le temps de le bien mastiquer, » répondit Mozart qui ne pouvait pas ne pas se rendre compte lui-même que son opéra était mélodiquement trop complexe pour être au goût du jour et généralement trop difficile à chanter, à jouer et à comprendre.

Il en vint à dire, non sans amertume, qu'il avait écrit « Don Giovanni » pour les Praguois, pour lui-même et pour ses amis.

Le 17 juin, Mozart écrit à Michael Puchberg, un riche marchand viennois et un musicien de talent avec qui il fait, à l'occasion, de la musique, pour lui demander de lui prêter, contre intérêts, une somme importante: un ou deux mille florins: « Vous devez vous-même reconnaître le bon sens et la vérité de ce que je dis quand j'affirme qu'il est difficile, voire même impossible, de vivre dans la continuelle attente d'un cachet. Si l'on n'a pas par devers soi un minimum de sécurité, il est impossible d'organiser son existence. Avec rien on ne peut rien faire. »

Si Puchberg lui fait l'amitié de lui prêter cet argent, explique Mozart, il pourra « travailler l'esprit libre de tout souci, le cœur plus léger et, dès lors, gagner plus d'argent. » Mais il s'empresse d'ajouter, effrayé sans doute par la possibilité d'un refus: « Si le fait de me prêter une telle somme allait vous gêner, alors, je vous prierai de me prêter, tout au moins jusqu'à demain, deux cents florins, car mon propriétaire de la Landstrasse s'est montré si insistant que j'ai dû le payer sur le champ afin d'éviter tout désagrément, et cela m'a mis dans une fâcheuse situation. »

Le même jour, les Mozart ont déménagé dans la Maison des Trois Etoiles, au 135 de la Währingergasse, dans les faubourgs de Vienne; c'est le logis le plus modeste qu'ils ont encore habité depuis leur mariage. Voilà donc à quoi est réduit un pianiste et un compositeur qui était, il y a quelques années à peine, l'une des gloires de Vienne, et qui menait grand train dans de magnifiques appartements.

Avec amertume, Mozart se force à admettre qu'à vrai dire,

ce déménagement lui est égal, qu'il l'arrange même: « Les choses étant ce qu'elles sont, j'ai peu à faire en ville et, n'étant plus dérangé par d'incessantes visites, j'aurai plus de temps à consacrer au travail. S'il fallait, par hasard, que je doive me rendre en ville par affaire, ce qui sera certainement très rare, un fiacre m'y mènera pour dix kreutzers. »

Et, à la fin de cette lettre dans laquelle il s'excuse d'être pauvre et impopulaire, Mozart ajoute ce post-scriptum à l'adresse de l'ami Puchberg: « Quand aurons-nous de nouveau, chez vous, une petite soirée de musique? J'ai composé un nouveau trio! »
Il s'agit du Trio en Mi majeur, complété cinq jours après cette lettre sur laquelle Michael Puchberg a inscrit: « Envoyé 200 florins ».

A cette époque de sa vie, Mozart ne donne plus de concerts. On ne l'invite plus dans les grandes maisons de la capitale, comme on le faisait autrefois. Les Viennois doivent évidemment savoir qu'il est dans la dèche et criblé de dettes. Qui sait si le tout-Vienne ne considère pas déjà Mozart comme un musicien fini . . .

Dans sa dernière lettre à sa sœur, datée du 2 août, Mozart prie Nannerl de demander à Michael Haydn de lui prêter quelques-unes de ses compositions religieuses: « Il y a maintenant exactement un an que je lui ai écrit et que je l'ai invité à venir me rendre visite, mais il ne m'a pas répondu . . . Invite-le donc chez toi, à Saint-Gilgen, et joue-lui quelques-unes de mes plus récentes compositions. Je suis sûr qu'il appréciera le trio et le quatuor . . . »

Le quatuor auquel Mozart fait allusion est le deuxième Quatuor pour piano et cordes en Mi bémol majeur, K. 493, et le trio, le Trio en Mi majeur, K. 542, terminé quatre jours avant la Symphonie en Mi bémol majeur, no 39, K. 543, soit le 22 juin.

*   *   *

Pour ce qui est des tonalités, Mozart est, en général, extrêmement conservateur et s'en tient à des tons simples. Lorsque, par exemple, en 1782, il avait transcrit pour trio à cordes trois fugues du « Clavecin bien tempéré » de Bach, il avait rejeté les tonalités « difficiles » de ré dièze mineur, fa dièze mineur et Fa dièze majeur, au profit de ré mineur, sol mineur et Fa majeur.

La tonalité de Mi majeur est fort rare, dans sa musique. On la rencontre dans ses opéras (air de Sarastro « In diesen heil'gen Hallen », dans « La Flûte enchantée », scène du cimetière dans « Don Giovanni »); le Trio K. 542 est sa seule œuvre instrumentale en Mi majeur.

Ce trio est le plus beau des six trios pour piano, violon et violoncelle laissés par Mozart. C'est une œuvre que Chopin affectionnait et qu'il joua souvent à ses concerts de la salle Pleyel, à Paris.

En 1788, Mozart écrira deux autres trios pour Michael Puchberg: en Do majeur, K. 548, terminé le 14 juillet, et en Sol majeur, K. 564, achevé le 27 octobre, tous deux inférieurs.

1. Allegro. Ce mouvement, d'un équilibre parfait, comporte un premier sujet auquel des tierces chromatiques successives confèrent une inoubliable personnalité. L'atmosphère est à la sérénité. Bien qu'elle soit la plus intéressante, la partie de piano n'écrase jamais celle du violon. (Pour sa part, lorsqu'il se manifeste, le violoncelle s'amuse à imiter le violon; il a moins à dire que l'alto dans le Trio des quilles). Un *allegro* d'une exquise légèreté, remarquable par sa spontanéité et ses élans de tendresse.

2. Andante grazioso en La majeur. Cette rêverie poétique comporte un épisode en la mineur mystérieux et mélancolique. Harmonies raffinées et contrepoints délicats.

3. Allegro. En premier lieu, Mozart esquisse soixante-cinq mesures d'un morceau contrapuntique qu'il finit par abandonner. Il revient à la simplicité et compose ce finale plein de fraîcheur et de vigoureuse gaieté, en dépit d'un bref passage en do dièze mineur assez dense.

38

1788

Symphonie en Mi bémol majeur, no 39, K. 543

1. **Adagio; allegro**
2. **Andante en La bémol majeur**
3. **Menuet et trio**
4. **Allegro**

Et voilà qu'au moment où il sombre dans la pauvreté et dans l'oubli, Mozart accomplit le tour de force le plus prodigieux qui se puisse concevoir: écrire en l'espace de trois mois douze compositions parmi lesquelles cinq suffiraient, à elles, seules, à lui assurer l'immortalité:

22 juin: le Trio pour piano, violon et violoncelle en Mi majeur, K. 542;

26 juin: la Symphonie en Mi bémol majeur, no 39, K. 543;

26 juin: la Marche en Ré majeur, K. 544 (perdue);

26 juin: la Sonate pour piano en Do majeur, K. 545;

26 juin: l'Adagio et fugue pour cordes en do mineur, K. 546;

10 juillet: la Sonate pour piano et violon en Fa majeur, K. 547;

14 juillet: le Trio pour piano, violon et violoncelle en Do majeur, K. 548;

16 juillet: la canzonetta « Piu non si trovano », K. 549;

25 juillet: la Symphonie en sol mineur, no 40, K. 550;

10 août: la Symphonie en Do majeur, no 41, K. 551 (« Jupiter »);

11 août: le lied « Dem hohen Kaiser-Worte treu », K. 552;

27 septembre: le Divertimento en Mi bémol majeur, K. 563.

Extraordinaire, cet exploit l'est non seulement parce que plusieurs de ces œuvres sont fort complexes, mais encore parce qu'elles sont toutes si remarquablement différentes les unes des autres, qu'elles fourmillent d'audaces harmoniques et qu'elles semblent avoir été notées presque sans ratures.

Au cours de cet été 1788, Mozart a dû se livrer à la composition du matin au soir. Ces œuvres, partiellement mûries dans sa tête, se précisent et prennent leur forme définitive pendant le processus de leur rédaction.

En 1815, le critique Johann Friedrich Rochlitz publia des souvenirs sur Mozart dans lesquels il rapportait que le compositeur lui avait assuré ne posséder aucune méthode spécifique de travail, ce qui est exact. En avril 1782, par exemple, Mozart avait envoyé à sa sœur la Fantaisie et fugue en Do majeur, K. 394, et, dans la lettre accompagnant cet envoi, il raconte comment il avait *écrit* la fugue pendant qu'il *composait* la fantaisie (ou prélude) dans sa tête.

Il composait n'importe où, en voyage, pendant une promenade ou la nuit, quand il ne parvenait pas à dormir.

Des idées qui lui venaient, il ne gardait que celles qui lui plaisaient et se les chantait à lui-même. Elles poussaient, se développaient, devenaient plus claires. Ainsi, la composition s'achevait dans sa tête, même dans le cas d'un long morceau. Mozart pouvait l'embrasser d'un seul coup, comme un tableau. Le meilleur moment était quand il en arrivait à entendre, en lui, la totalité de l'ensemble.

Les trois dernières symphonies forment le sommet de l'œuvre instrumental de Mozart. Il semble douteux qu'elles aient été écrites en prévision de la saison d'hiver 1788-89. A cette époque, non seulement Mozart ne donnait-il plus de concerts, mais il lui était même devenu difficile de trouver des élèves: dans ses lettres à Michæl Puchberg, il prie son ami de faire savoir dans son entourage qu'il enseigne encore.

En écrivant ces trois symphonies, Mozart obéit à une impulsion irrésistible, ainsi qu'à des exigences esthétiques profondes. Elles sont trop différentes les unes des autres pour avoir été destinées à former une trilogie. Elles n'ont en commun que leur admirable structure. Même leur orchestration diffère: clarinettes sans hautbois dans la Symphonie en Mi bémol majeur; hautbois et clarinettes, mais ni trompettes ni timbales dans la Symphonie en sol mineur; absence de clarinettes dans la Symphonie « Jupiter ».

1. Adagio; allegro. L'habile homme de théâtre qu'est Mozart nous propose, avant de présenter l'*allegro*, un merveilleux lever de rideau: cet *adagio* solennel, mystérieux et dissonant. L'action commence avec l'*allegro*, limpide et beau, mais riche aussi d'épisodes mouvementés. Un charme envoûtant s'en dégage, fait de poésie et de noblesse. L'absence des hautbois donne de la chaleur aux bois.

2. Andante en La bémol majeur. Un paisible thème de marche est, tout d'abord, exposé par les seules cordes. A compter du moment où les bois s'en emparent, leurs sonorités inoubliables vont hanter ce morceau auquel Mozart donne la forme d'un rondo. Entre les deux reprises fort variées du refrain, il nous fait entendre deux fois un couplet orageux, d'abord en fa mineur, puis dans la tonalité éloignée de si mineur. La conclusion de ce mouvement est étrangement abrupte.

3. Menuet et trio. Un menuet viril et rustique. Le trio est une naïve et populaire musique d'auberge campagnarde, avec de savoureux effets d'orgue de Barbarie.

4. Allegro. Le thème unique de ce mouvement en forme sonate nous est montré sous des couleurs harmoniques continuellement changeantes; joyeux et animé dans l'exposition, il s'assombrit au cours du développement et son entrain diminue. Ce n'est que dans la coda que sa tension se relâche. Par ses éléments dramatiques, ce morceau fait penser à une ouverture de théâtre.

39

1788

Symphonie
en sol mineur,
no 40,
K. 550

1. **Allegro molto**
2. **Andante en Mi bémol majeur**
3. **Menuet; trio en Sol majeur**
4. **Allegro assai**

Le lendemain de la composition de la Symphonie en Mi bémol majeur, donc dix jours après avoir reçu de lui 200 florins, Mozart écrit de nouveau à Michæl Puchberg.

« Très Honorable frère, cher, très cher ami! J'ai cru pouvoir me rendre personnellement en ville, l'un de ces jours derniers, afin de vous remercier de vive voix pour la bonté que vous m'avez témoignée. Mais, à présent, je n'aurais même pas le courage de me montrer devant vous, me trouvant dans l'obligation de vous avouer sincèrement qu'il m'est impossible de vous rembourser si tôt l'argent que vous m'avez prêté et de vous supplier de bien vouloir vous montrer patient envers moi! Que les circonstances présentes vous empêchent de m'assister dans la mesure que j'avais espérée me mettent au désespoir, car ma situation est si précaire que je me trouve dans l'obligation absolue de trouver l'argent ailleurs. Mais, Dieu si bon, à qui me confierais-je sinon à vous, mon meilleur ami! Si seulement vous aviez l'extrême bonté de me procurer cet argent par une autre voie! Je serais prêt à payer les intérêts et mon prêteur, quel qu'il soit, aurait la garantie de mon honnêteté et de mes appointements. Je suis déjà suffisamment affligé d'en être à une telle extrémité; c'est justement pourquoi j'aimerais compter sur une somme *assez substantielle* pour une période *assez longue,* afin d'éviter de me retrouver jamais dans une impasse aussi fâcheuse. Si vous, mon frère très estimé, ne m'aidez pas à me tirer de là, je perdrai ce que je veux conserver par-dessus tout, mon honneur et mon crédit. Je compte entièrement sur votre sincère amitié et sur votre amour fraternel et j'ai confiance que vous me soutiendrez par vos conseils et votre générosité. Si mon souhait se réalise, je pourrai à nouveau respirer librement, parce que je mettrai alors mes affaires en ordre une fois pour toutes. Je vous en prie, venez me voir. Je suis toujours à la maison. En dix jours, j'ai abattu ici plus de travail qu'en deux mois dans mon ancien logis, et s'il ne me venait si souvent de telles idées noires, que je ne parviens à chasser qu'avec infiniment de peine, tout irait mieux, car cette demeure est agréable — confortable et bon marché. Je ne vous retiendrai pas plus longtemps avec mon bavardage. Je m'arrête de *parler* pour commencer à *espérer.* A jamais, votre serviteur reconnaissant, ami véritable et frère, W. A. Mozart. »

Dans cette demeure, où Mozart prétend être agréablement

Wolfgang Amadè Mozart

logé et où il y a même un jardin, meurt, le 29 juillet, sa petite fille Theresia, âgée de six mois.

Malgré la tristesse, malgré les soucis, il poursuit son travail. Le 14 juillet, pour Michæl Puchberg, il écrit le Trio pour piano, violon et violoncelle en Do majeur, K. 548, œuvre moins personnelle que le Trio en Mi majeur du mois précédent, malgré son impeccable facture.

Enfin, le 25 juillet, Mozart achève l'une de ses œuvres qui a fait le plus couler d'encre et dans laquelle on a voulu voir les premières manifestations du romantisme musical allemand: la Symphonie en sol mineur, K. 550.

Une grande tristesse s'en dégage, comme de toutes les œuvres très chromatiques de Mozart; ce serait un tort, cependant, de ne voir qu'elle dans cette belle symphonie si riche de mélodies originales et de surprises harmoniques.

Changement radical de décor: la sérénité et l'optimisme de la Symphonie en Mi bémol majeur font place à la fièvre et à la nervosité.

Selon sa belle-sœur Sophie Haibel, Mozart était un homme nerveux, d'humeur charmante, mais toujours plongé dans de profondes pensées. Il regardait les gens d'un œil éveillé, leur répondant toujours avec à-propos, mais continuellement absorbé par quelque travail intellectuel.

Pendant sa toilette du matin, il allait et venait dans sa chambre, incapable de rester en place, frappant parfois ses talons l'un contre l'autre. A table, il tordait sa serviette sans s'en rendre compte, tant ses réflexions l'accaparaient. Bref, il était sans cesse en mouvement, jouant avec les objets, avec son chapeau, sa chaîne de montre, les chaises, comme avec un clavier.

* * *

La tonalité de sol mineur et la continuelle agitation de la quarantième Symphonie (même le mouvement lent est sans repos) lui confèrent une grande originalité. Mozart s'y abandonne à l'expression personnelle, sans souci du style galant, mais sans excès et sans que soient jamais rompus les cadres de la rigueur classique — trois des quatre mouvements sont en forme sonate et les développements restent fort brefs.

Tout excès rebute Mozart; aussi, ne tombe-t-il jamais dans la démesure ni la vulgarité.

C'est par la justesse de l'expression, la netteté de la forme et l'équilibre architectural qu'il entend atteindre à la perfection.

* * *

1. **Allegro molto.** (Mozart avait tout d'abord indiqué *allegro assai,* au début de ce mouvement.) Sans préparation, le premier thème rythmique, fiévreux, est énoncé. Après une pause, les cordes, puis les bois, présentent le second sujet (en Si bémol majeur). Le morceau ne connaît pas un moment de répit. Le développement, très étoffé, est entièrement tiré du premier sujet. Après un admirable pas-

sage ramenant à la récapitulation, Mozart réexpose de façon différente son matériel thématique et le second sujet nous revient, cette fois, dans la tonalité de sol mineur. Huit mesures d'une douceur poignante font croire un moment au calme retrouvé, mais le mouvement s'achève comme il avait commencé, dans une agitation fiévreuse.

2. Andante en Mi bémol majeur. Aucune détente n'est apportée, non plus, par ce mouvement au rythme haletant (insistance des triples-croches) et à l'expression intense. Musique mélancolique, modulant sans cesse dans des tonalités mineures. Dissonances, rythmes superposés, accents déplacés. Comme dans l'*allegro* initial, la récapitulation prolonge le développement et réserve à l'auditeur des surprises d'une grande beauté.

3. Menuet; trio en Sol majeur. Le menuet est agressif, impatient. Le trio offre avec lui un contraste saisissant: c'est une gracieuse pastorale.

4. Allegro assai. Un mouvement énergique, frémissant, posant sans cesse des questions pressantes auxquelles sont apportées d'inexorables réponses. Après une réexposition affirmative et rythmiquement brutale du premier sujet, le développement commence et mène à un *fugato* vigoureux et dense. Malgré son orchestration réduite, sans trompette ni timbale, la Symphonie en sol mineur donne une impression constante de force.

40

1788 | *Symphonie en Do majeur, no 41, K. 551 (''Jupiter'')*

1. **Allegro vivace**
2. **Andante cantabile en Fa majeur**
3. **Menuet et trio**
4. **Allegro molto**

Au début de juillet, nouvelle lettre à Michæl Puchberg. Les problèmes financiers se multiplient et Mozart est aux abois.

« Très cher ami et frère. De très grandes difficultés et complications ont à un tel point embarassé mes affaires que je me vois forcé d'emprunter de l'argent sur ces deux reconnaissances de prêteur sur gage. Au nom de notre amitié, je vous implore de me rendre ce service; mais vous devrez le faire immédiatement. Pardonnez-moi mon importunité, mais vous savez où j'en suis. Ah! si seulement vous aviez fait ce que je vous demandais! Faites-le encore et tout ira comme je le souhaite. Toujours, votre Mozart. »

Pourquoi Puchberg refuse-t-il de prêter la somme importante que Mozart réclame? Il est tentant d'accuser le riche marchand viennois de parcimonie; même s'il prête peu, Puchberg prête quand même.

Dans sa dernière lettre à Nannerl du 2 août, Mozart s'excuse de ne pas l'avoir félicitée pour le jour de sa fête: « Tu n'ignores pas que je suis très paresseux quand il s'agit d'écrire des lettres ... Cela ne doit pas t'empêcher de m'en écrire à moi très souvent. Je n'aime pas en écrire, mais j'adore en recevoir. Et puis, tu as beaucoup plus de choses à raconter que moi, car ce qui se passe à Salzbourg comporte certainement plus d'intérêt pour moi que ce qui se passe à Vienne pour toi. »

Le 10 août, Mozart termine la Symphonie en Do majeur, son ultime composition dans le genre symphonique.

* * *

L'orchestration de la Symphonie en Do majeur est la suivante: une flûte, deux hautbois, deux bassons, deux cors, deux trompettes, les timbales et les cordes.

Dans cette œuvre, d'une sonorité si claire après l'obscure Symphonie en sol mineur, Mozart omet volontairement les clarinettes. Il n'en ajoutera pas, par la suite, comme il l'avait fait après la composition de la quarantième Symphonie. Il avait en tête cette couleur instrumentale particulière.

On ignore qui a donné à cette symphonie son surnom de « Jupiter ».

*   *   *

1. Allegro vivace. La Symphonie en Mi bémol majeur débutait par un mystérieux prélude. La Symphonie en sol mineur nous plongeait dès le début dans le drame. La Symphonie en Do majeur, comme tant d'autres symphonies de Mozart, commence, par un appel impérieux qui affirme, dès le départ, une exhubérance vitale. Les sentiments exprimés dans ce mouvement sont joyeux, grandioses, héroïques même, mais jamais émotifs. L'énergie presque surhumaine que Mozart y déploie justifie son appellation olympienne.

2. Andante cantabile en Fa majeur. Un chant noble, ponctué d'incessantes oppositions de *piano* et de *forte*. Musique d'une profonde humanité qui fait penser aux mots de Constanze, parlant de Mozart: « On ne pouvait s'empêcher de l'aimer: il était si bon! » Sourdines aux violons et aux altos. Les trompettes et les timbales se taisent. Un épisode en ré mineur suscite un moment d'inquiétude. Le morceau s'achève dans le calme et la majesté.

3. Menuet et trio. Un menuet solennel, que son chromatisme alourdit. Dans le trio retentissent déjà les quatre notes du thème initial du finale.

4. Allegro molto. Ce thème de quatre notes est un motif d'origine liturgique fréquemment utilisé par les polyphonistes du début du dix-huitième siècle; ce modèle de simplicité a séduit Mozart. Le mouvement comporte trois autres thèmes importants. Après l'élaboration fugale du développement, les quatre thèmes sont joués simultanément par tout l'orchestre (mesures 387 à 390). D'une impétuosité et d'une force peu commune, ce finale est sans parallèle dans l'histoire de la musique. Il a été écrit d'une traite, presque sans corrections. C'est sur ce morceau d'une rayonnante beauté que Mozart termine sa carrière de compositeur de symphonies. Dans ces pages d'une perfection absolue, il a réussi à donner à l'écriture polyphonique une légèreté et une vivacité qu'elle n'avait pas connues du temps de Bach et de Handel.

41

1788

Divertimento pour trio à cordes en Mi bémol majeur, K. 563

1. **Allegro**
2. **Adagio en La bémol majeur**
3. **Menuet et trio**
4. **Andante en Si bémol majeur**
5. **Menuet; trio I en La bémol majeur; trio II en Si bémol majeur**
6. **Allegro**

Pourquoi Mozart a-t-il écrit trois nouvelles symphonies s'il n'a aucun espoir de les faire entendre nulle part? A qui peut-il seulement montrer ces œuvres dont il ne saurait ignorer l'originalité et l'importance? A Constanze? A Michæl Puchberg?

La solitude artistique de Mozart et son isolement social semblent complets, à la fin de l'été 1788. Vienne l'ignore. Il n'a pas réussi, à trente-deux ans, à s'attirer la protection d'un seul des grands de ce monde qui lui assurerait la paix de l'âme et la sécurité matérielle.

Pour comble de malheur, la santé de Constanze n'est pas bonne, la sienne non plus.

Le 11 août, au lendemain de la rédaction de la Symphonie en Do majeur, il écrit un lied: « Dem hohen Kaiser-Worte treu », K. 552, inspiré par la guerre contre les Turcs, puis s'arrête totalement de composer pendant six semaines.

Lorsqu'il sort de son silence, le 27 septembre, c'est pour écrire, à l'intention de Puchberg, une œuvre unique en son genre: le Divertimento pour trio à cordes en Mi bémol majeur, K. 563.

Il s'agit bien là d'un retour à un genre galant délaissé depuis plus de dix ans; à la vérité, l'œuvre n'est mondaine que par la forme. Sa combinaison instrumentale inusitée, son écriture raffinée et, surtout, son expression profonde, l'élèvent au-dessus du simple divertissement et la destinent nettement à des interprètes de la plus haute qualité.

Le Divertimento en Mi bémol majeur, produit de l'une des périodes les plus douloureuses de la vie de Mozart, ne porte aucune trace de désespoir.

* * *

1. Allegro. Le ton du premier morceau oscille sans cesse entre la gravité et la joie. Le développement est bref, comme il sied à un divertissement, et propose de ravissantes modulations. La sonorité du trio à cordes est plus transparente, plus intime, que celle du quatuor à cordes. Dans toute l'œuvre, l'accord entre les trois instruments est parfait et la partie du violoncelle aussi importante que celles du violon et de l'alto — ce qui aurait plu au roi de Prusse.

2. Adagio en La bémol majeur. C'est justement le violoncelle qui présente le thème principal de ce mouvement. Le ton est à la confidence et à la tendresse. Mozart a beaucoup à dire, dans ce gracieux morceau, et le dit avec éloquence.

3. Menuet et trio. Un joyeux et bondissant menuet, dans l'esprit des menuets des Quatuors à Haydn. Le trio est peut-être un peu moins démonstratif.

4. Andante en Si bémol majeur. Ce mouvement se présente sous la forme de doubles variations. Le thème est une marche populaire en deux segments; à chaque reprise, chaque segment est varié. Mozart adorait la forme des variations. Ici, son imagination ne connaît plus de bornes. Imperceptiblement, l'on s'éloigne de plus en plus de la marche originale; lors de sa réexposition, dans la coda, on se rend compte à quel point on l'avait oubliée. Dans la troisième variation (mineure), le ton se fait plus intime. La quatrième permet à l'alto de présenter une version solennelle du thème — dans le style de l'*andante cantabile* du Quatuor « Empereur » de Haydn.

5. Menuet; trios I et II. Ce menuet est plus raffiné que le premier. Le trio en La bémol majeur est une petite valse d'une grâce exquise. Le second, en Si bémol majeur, n'est pas moins enlevant. Tout le mouvement pétille de l'esprit de la vraie musique viennoise.

6. Allegro. Les sonneries de chasse de ce joyeux rondo

lui donnent un élan irrésistible. Cette musique procure aux sens un plaisir délicieux.

**Oeuvres écrites entre le 27 septembre 1788
et le 29 septembre 1789**

Trio pour piano, violon et violoncelle en Sol majeur, K. 564
6 Danses allemandes pour orchestre, K. 567
12 Menuets pour orchestre, K. 568
Sonate pour piano en Si bémol majeur, K. 570
6 Danses allemandes pour orchestre, K. 571
Variations pour piano en Ré majeur, K. 573
Gigue pour piano en Sol majeur, K. 574
Quatuor à cordes en Ré majeur, K. 575 (Prussien no 1)
Sonate pour piano en Ré majeur, K. 576
Air « Al desio di chi t'adora », K. 577
Air « Alma grande e nobil core », K. 578
Air « Un moto di gioia », K. 579
Air « Schon lacht der Holde Frühling », K. 580

1789

42

Quintette pour clarinette et cordes en La majeur, K. 581

1. **Allegro**
2. **Larghetto en Ré majeur**
3. **Menuet; trio I en la mineur; trio II en La majeur**
4. **Allegretto con variazioni**

Après la fièvre créatrice de l'été 1788, le rythme de la production de Mozart va se ralentir considérablement pendant près d'un an.

En effet, après avoir terminé, en octobre, un troisième trio pour Michæl Puchberg, il se tait, cette, fois pour longtemps.

Le manque de commandes et l'impossibilité de se faire entendre ne l'empêchent toutefois pas de se tirer avec honneur de ses fonctions de compositeur de la cour et d'écrire, en fin d'année, des danses allemandes et des menuets pour les bals et les redoutes.

Mais en janvier 1789, aucune œuvre ne figure à son catalogue thématique.

En février, Mozart compose la Sonate pour piano en Si bémol majeur, K. 570, œuvre sans grande importance qui fut publiée, d'ailleurs, avec un accompagnement de violon qui n'est même pas de sa main. Ce même mois, il écrit les six Danses allemandes K. 571; le trio de la deuxième de ces danses est une exquise et véritable petite valse viennoise en la mineur.

Il se consacre à d'autres occupations, par exemple, à la réinstrumentation d'oratorios de Handel, pour le compte du baron van Swieten.

En novembre 1788, Mozart avait déjà réorchestré « Acis et Galatée », dont une exécution publique avait été donnée à son profit. En mars 1789, il fait la même chose pour « Le Messie ». En 1790, ce seront « La Fête d'Alexandre » et l'« Ode à Sainte Cécile ». Ce travail consiste à abréger certains airs et à transcrire pour instruments à vent les parties d'orgue originales.

Mozart ne cache pas son admiration pour Handel. Il aime dire que personne ne sait ménager ses effets mieux que lui, même s'il lui arrive d'être souvent « fastidieux à la manière de son temps ».

En dépit des cachets versés par le baron van Swieten, la situation financière de Mozart ne s'est pas améliorée. Gêné de s'adresser sans cesse à Puchberg, il fait appel à un certain Franz Hofdemel, le mari d'une élève, qui lui avance un peu d'argent. Le 2 avril, Mozart signe une seconde reconnaissance de dette envers ce nouveau créancier.

Or voilà que le prince Karl Lichnowsky, qui est un autre

élève (et le futur protecteur de Beethoven), doit se rendre à Berlin pour affaire et invite Mozart à profiter de sa voiture.

Mozart accepte: dans la détresse où il se trouve, il n'a rien à perdre. L'expérience du passé ne l'a instruit en rien. L'argent de Hofdemel en poche et la mort dans l'âme, il va, une fois encore, tenter de faire fortune ailleurs.

Par mesure d'économie, Michæl Puchberg hébergera Constanze et Karl; c'est chez lui que, pendant son voyage, Mozart va adresser sa correspondance à sa femme. Celle-ci est enceinte pour la cinquième fois et l'enfant est attendu pour novembre.

Mozart se met en route le 8 avril 1789; il n'a pas quitté Vienne depuis son retour de Prague, en novembre 1787, après la création de « Don Giovanni ». Le soir même, il envoie un premier message à Constanze. Pendant deux mois, il lui enverra de nombreuses lettres tendres et affectueuses. Constanze sera toujours longue à lui répondre et il s'en plaindra amèrement.

« Très chère petite femme, si j'avais seulement reçu une lettre de toi! Si je te disais ce que je confie à ton cher portrait, tu rirais beaucoup. je pense! Par exemple, quand je le tire de son étui, je lui dis: « Bonjour, Stanzerl! — Bonjour, friponne, petite chatte, nez pointu, bagatelle, *Schluck und Druck,* » et, quand je le range à nouveau, je le fais rentrer lentement dans l'étui, en répétant souvent: « *Nu — Nu — Nu — Nu!* », avec toute l'*emphase* qu'exige ce mot si expressif, puis, au dernier moment, très vite: « Bonne nuit, petite souris, dors bien! »

*Mozart à trente-trois ans. Dresde,
17 avril 1789. Dessin au crayon d'argent
de Dora Stock.*

Bientôt Tamino chantera, en contemplant le portrait de Pamina: « Dies Bildnis ist bezaubernd schön . . .» (« Ce portrait d'une beauté enchanteresse . . . »)

Le 10 avril, le prince Lichnowsky et Mozart sont à Prague, et, le 12, à Dresde où Mozart retrouve la cantatrice Josepha Duschek. Il se présente chez son amie sans donner son nom, par plaisanterie; mais Mme Duschek, l'ayant reconnu par la fenêtre, vient à lui en disant: « Voilà quelqu'un qui ressemble fort à Mozart. »

A un concert, il joue son Divertimento, K. 563, et accompagne la Duschek dans quelques airs de ses opéras. C'est un triomphe. Mozart n'a pas donné de concert depuis longtemps et il est heureux de se sentir enfin apprécié.

C'est pendant ce séjour à Dresde que Dora Stock a fait, au crayon d'argent, un dessin de Mozart qui nous le montre de profil, le front large, le nez proéminent, la bouche amère et le menton fuyant.

Les voyageurs se rendent ensuite à Leipzig.

Aussitôt arrivé dans cette ville, Mozart se présente à la Thomasschule, rendue célèbre par Johann Sebastian Bach. Il y est reçu par le directeur, Johann Friedrich Doles, un homme maintenant âgé de 74 ans et qui avait été un élève de Bach.

Le 22 avril, Mozart suscite l'admiration générale en donnant un concert sur l'orgue de Bach, à la Thomaskirche. Pour le remercier, Doles lui fait entendre un motet de Johann Sebastian que Mozart ne connaissait pas: « Singet dem Herrn ein neues Lied ».

Bouleversé, Mozart s'écrie: « Enfin, voilà une œuvre qui va nous apprendre quelque chose! »

Le 25, les voyageurs sont à Potsdam où Mozart espère se faire remarquer du roi de Prusse, Friedrich Wilhelm II.

Le roi éprouve, pour le violoncelle, la passion que son oncle, Frédéric le Grand, avait pour la flûte. Il connaît et admire les quatuors à cordes de Mozart et lui en commande aussitôt six, ainsi que des sonates pour piano « faciles » pour sa fille aînée, la princesse Friederike.

Mais il ne propose à Mozart aucun poste à sa cour.

Mozart passe une semaine à Potsdam; il s'y fait de nombreux amis qui improvisent des soirées musicales en son honneur.

En mai, plutôt que de rentrer à Vienne avec Lichnowsky, Mozart retourne seul à Leipzig où, le 12, il donne un concert.

A la répétition, il bat la mesure avec tant d'acharnement qu'une boucle de sa chaussure se casse.

Le programme comporte une symphonie de lui dont l'orchestre possédait la musique, deux concertos et la scène dramatique « Ch'io mi scordi di te? » qu'interprète Josepha Duschek, avec le compositeur au piano.

Le 19 mai, Mozart est à Berlin. Le soir de son arrivée, on doit chanter « L'Enlèvement au sérail ». Une légende veut que Mozart se soit faufilé incognito dans la salle du théâtre et que, l'ayant reconnu, le public l'ait applaudi à grands cris.

266

Une autre légende lui prête, au cours de son séjour berlinois, une aventure amoureuse avec la cantatrice Henriette Baranius.

Ce qui est tout à fait sûr, cette fois, est que le 23 mai, Mozart écrit à Constanze: « Tout d'abord, ma petite femme chérie, il faudra que tu te réjouisses davantage du retour de ton mari que de l'argent qu'il rapporte ... En second lieu, Lichnowsky (en toute hâte) m'a quitté ici et il a fallu que je défraye moi-même mon séjour à Potsdam, une ville où la vie coûte cher. Troisièmement, j'ai dû lui prêter cent florins, parce que sa bourse était vide. Je n'ai pas pu le lui refuser, je te raconterai pourquoi ... »

Mozart ne pense pas à sa gloire future et il n'a, sans doute, jamais imaginé qu'un jour, sa correspondance serait publiée et ses confidences à sa femme trahies.

Les lettres que Mozart adresse à Constanze, au cours de ce voyage, comme, d'ailleurs, celles qu'il lui écrira en 1790, de Francfort, ou qu'il lui enverra à Baden, en 1791, montrent le grand amour qu'il lui portait.

Il lui répète sans cesse sa tristesse d'être séparé d'elle, son espoir de se retrouver bientôt dans ses bras; lui fait mille recommandations sur sa santé; lui envoie mille caresses, mille baisers, souvent avec des mots polissons qui révèlent le ton de ses conversations intimes avec Constanze.

Ainsi, dans cette même lettre du 23 mai, peut-on lire: « Prépare gentiment ton joli nid chéri, car mon petit bonhomme le mérite; il s'est vraiment fort bien conduit... »

Le 4 juin, Mozart est de retour à Vienne. Sur le plan artistique, le voyage ne lui a apporté que des succès; il a été applaudi partout où il s'est fait entendre, principalement à Leipzig, la ville de Bach.

Mais il rentre les poches vides.

Aussi, se met-il sans retard à la tâche afin d'écrire rapidement le premier des six quatuors à cordes commandés par Friedrich Wilhelm II (il n'en terminera que trois, avant sa mort), ainsi qu'une première sonate pour piano assez peu facile pour la princesse. Il est promptement rémunéré pour ce travail.

L'argent arrive à point. Constanze se met à souffrir d'une infection au pied et Mozart tombe, lui-même, sérieusement malade. La grossesse de sa femme redouble son inquiétude. Il faut faire venir le médecin, payer le pharmacien. Bref, l'argent du roi ne fait pas long feu.

Désespéré, Mozart écrit à Michæl Puchberg: « Cher, très cher ami et honorable frère. Dieu! je ne souhaiterais pas à mon plus mortel ennemi de se trouver dans ma présente situation. Et si vous, mon cher ami et mon frère, m'abandonnez, nous sommes tout à fait perdus, moi, *votre malheureux et innocent ami,* ma pauvre femme malade et mon enfant ... Je n'ai pas besoin de vous redire que la mauvaise santé m'a empêché de gagner quelque argent que ce soit. Je dois avouer qu'en dépit de ma misérable situation, j'avais décidé de donner chez moi des concerts par souscriptions, afin de pouvoir au moins faire face à mes nombreuses dépenses actuelles ... Même là, j'ai échoué. Hélas, le Destin s'acharne contre moi, *mais seulement à Vienne,* si bien que même quand je le veux, je ne puis gagner aucun argent. Il y a deux semaines, j'ai fait circuler une liste d'abonnés et, jusqu'à ce jour, seul le nom du baron van Swieten y figure! ... Très cher, très estimé ami et frère, vous connaissez, bien sûr, *l'état présent de mes affaires*, mais vous n'ignorez pas non plus *mes projets.* Que les choses en restent comme nous l'avions décidé; c'est-à-dire couci-couça, vous savez ce que je veux dire. En attendant, j'écris six sonates faciles pour la princesse Friederike et six quatuors pour le Roi, que Kozeluch grave à mes frais ... Dans un mois ou deux, mon sort sera décidé *jusqu'au moindre détail.* Ainsi, très cher ami, vous ne risquez rien avec moi. Tout dépend donc, unique ami, de ce que vous voudrez ou pourrez me prêter 500 florins supplémentaires. Jusqu'à ce que mes affaires soient en ordre, je m'engage à vous rendre dix florins par mois; dans quelques mois, comme cela ne manquera pas de se produire, je vous rembourserai le tout au taux d'intérêt que vous voudrez, en me déclarant votre obligé pour la vie. Hélas, il semble que je devrai le demeurer toujours, car je ne parviendrai jamais à vous remercier suffisamment pour votre amitié et votre affection ... »

Le jour où Mozart écrit cette lettre, le 14 juillet 1789, les sans-culottes, à Paris, prennent la Bastille.

Comme Puchberg ne donne aucune signe de vie, Mozart, malade d'inquiétude, lui écrit à nouveau le 17: « Je crains que vous ne soyez fâché contre moi, car vous ne m'avez pas encore répondu! ... Au nom de Dieu, je vous implore de m'accorder pour l'instant quelque secours qu'il vous plaira, ainsi qu'un conseil et votre sympathie réconfortante. Pour toujours, votre serviteur reconnaissant, Mozart. P.S. Ma femme était encore atrocement souffrante, hier. Aujourd'hui, on lui a appliqué des sangsues et elle va, Dieu merci, un peu mieux. Je suis vraiment très malheureux, toujours entre l'espoir et la crainte! »

Puchberg se laisse émouvoir et fait parvenir 150 florins à Mozart. Le docteur Closset, qui soigne Constanze, recommande pour elle une cure à Baden; l'argent de Puchberg n'ira pas loin.

Tout à coup, au mois d'août, on annonce la reprise des « Noces de Figaro », sans doute à cause du regain d'intérêt pour cet ouvrage suscité par les échos de la révolution française qui affluent à Vienne. Mozart n'ose croire à son bonheur.

Pour Adriana Ferrarese del Bene, qui chante Susanna (et qui est la maîtresse de Lorenzo da Ponte), Mozart écrit deux nouveaux airs: « Al desio di chi t'adora », destiné à remplacer « Deh vieni, non tardar », ainsi qu'une ariette en Sol majeur, « Un moto di gioia », dont on ignore l'emplacement exact dans la partition.

La reprise de « Figaro » a lieu le 29 août et remporte un immense succès; l'opéra sera chanté une douzaine de fois jusqu'à la fin de 1789. Joseph II en profite pour commander à Mozart un *opera buffa* pour le carnaval de 1790.

Et c'est le 29 septembre, au moment où il commence à élaborer avec Lorenzo da Ponte le livret de « Cosi fan tutte », que Mozart écrit, pour son ami et frère de loge, le clarinettiste Anton Stadler, le Quintette pour clarinette et cordes en La majeur, K. 581.

* * *

1. Allegro. Ce mouvement comporte trois thèmes principaux: le premier, un peu solennel; le second, tendrement mélancolique; et le troisième d'allure décisive. La clarinette se montre brillante sans jamais faire étal de sa virtuosité. Pour lui permettre de jouer le beau rôle sans ostentation, Mozart utilise les cordes avec infiniment de retenue et de douceur. On admirera la simplicité et le dépouillement de cet *allegro*.

2. Larghetto en Ré majeur. Ce nocturne fait chanter à la clarinette une mélodie d'une incomparable beauté, coupée d'accents passionnés du premier violon: c'est le chant de la tendresse et de la fraternité.

3. Menuet; trios I et II. Le menuet est un modèle de concision. Les cordes seules jouent le premier trio en la mineur. Le second, en La majeur, se présente dans le style d'une petite danse rustique: joie paisible et douce émotion.

4. Allegretto con variazioni. Avant d'écrire ce finale, Mozart avait esquissé 89 mesures d'un tout autre morceau. Il délaisse cette ébauche (il s'en servira pour « Cosi ») et note un petit thème de marche dont il tire cinq variations et une enlevante coda. La première variation reprend le thème initial, que les seules cordes ont exposé, et introduit la clarinette. La deuxième, plus affirmative, est pour le seul quatuor à cordes. Dans la troisième, en la mineur, la clarinette chante deux phrases chromatiques poignantes qui comptent parmi les plus belles inventions mélodiques de Mozart. Après une brève transition, entrecoupée de silences comme un rituel maçonnique, l'œuvre se termine par une coda vive, enjouée et spirituelle.

**Oeuvres écrites entre le 29 septembre 1789
et le 26 janvier 1790**

Air « Chi sa, chi sa, qual sia », K. 582
Air « Vado, ma dove? », K. 583
Air « Rivolgete a lui », K. 584
12 Menuets pour orchestre, K. 585
12 Danses allemandes, K. 586
Contredanse pour orchestre, K. 587 (« Koburg »)

43

1790 | *"Cosi fan tutte"*, K. 588

Pour la troisième et dernière fois, Mozart a recours aux services et aux talents du brillant Lorenzo da Ponte qui a tôt fait de lui remettre l'excellent livret de « Cosi fan tutte ». Pour sa part, Mozart travaillera à la partition pendant quatre mois, tout en vaquant à d'autres occupations.

En octobre 1789, pour Louise Villeneuve, la future Dorabella, il écrit deux airs destinés à être intercalés dans un opéra de da Ponte et Martin y Soler: « Il Burbero di buon core ». Le second de ces airs, « Vado, ma dove? », est d'un raffinement exquis et très proche, par son dépouillement, du Quintette en La majeur pour clarinette et cordes.

Le 16 novembre, Constanze donne naissance à une fille, Anna, qui meurt au bout d'une heure; l'accouchement a été pénible et Constanze reste très affaiblie.

Tout en poursuivant la composition de « Cosi fan tutte », Mozart écrit des danses allemandes et des menuets en prévision des fêtes de fin d'année et du carnaval de 1790.

A la mi-décembre, selon son habitude, le prince Nicholas Esterhazy s'installe pour quelques semaines dans sa résidence viennoise de la Wallnerstrasse, et Joseph Haydn, naturellement, fait partie de sa suite.

Justement, le 18 décembre, un opéra de Haydn, « La Fedelta premiata », est donné au Kärntnertor-Theater, dans une version allemande de Schikaneder, et il n'est pas improbable de croire que Mozart ait tenu à venir applaudir l'œuvre de son ami.

Le 29, embarrassé par les dépenses qu'ont occasionnées l'accouchement et la convalescence de Constanze, Mozart doit encore une fois demander à Michæl Puchberg de lui avancer de l'argent: « Ne soyez pas effrayé de la teneur de cette lettre. Ce n'est qu'à vous, ami très cher, qui savez tout de moi et de mes affaires, que j'ai le courage d'ouvrir mon cœur. D'après les arrangements qui ont été conclus, la direction doit me verser 200 ducats, le mois prochain, pour mon opéra. Si vous pouvez et voulez d'ici là me prêter 400 florins, vous tirerez votre ami du pire embarras; et je vous donne ma parole d'honneur que le temps venu, je vous rembourserai la totalité de la somme avec tous mes remerciements ... Je ne sais que trop bien tout ce que je vous dois! Je vous prie de patienter encore un peu pour ce qui est des anciennes dettes. Je vous promets, sur mon honneur, que vous serez entièrement remboursé. Encore une fois, je vous en implore, aidez-moi à me tirer de cette horrible situation. Aussitôt que j'aurai été payé pour mon opéra, je vous rendrai sans faute les 400 florins. Et j'ai confiance que l'été prochain, grâce à mon travail pour le

Roi de Prusse, je pourrai vous convaincre tout à fait de ma bonne foi. Contrairement à ce qui avait été convenu, nous ne pourrons faire de musique chez moi, demain. J'ai trop de travail ... Mais je vous invite, et vous seul, jeudi, chez moi, à dix heures du matin, pour une brève répétition de mon opéra. Je n'invite que Haydn et vous. Quand je vous verrai, je vous raconterai les intrigues de Salieri qui sont, d'ailleurs, déjà tout à fait crevées. Adieu. A jamais votre ami et frère reconnaissant, W. A. Mozart ».

Le 21 janvier 1790 a lieu la première répétition de « Cosi fan tutte » avec l'orchestre, en présence de Haydn et de Puchberg, et, enfin, le 26, la première du nouvel opéra est donnée, sous la direction de Mozart.

Louise Villeneuve et Adriana Ferrarese del Bene (qui sont dans la vie les deux sœurs) chantent, respectivement, les deux sœurs de la pièce: Dorabella et Fiordiligi. Le premier Figaro, Francesco Benucci, joue le rôle de Guglielmo, alors que ceux de Ferrando et de Don Alfonso sont tenus par Vincenzo Calvesi et Francesco Bussani. La femme de ce dernier, Sardi Bussani (qui avait créé Cherubino), chante Despina.

Un commentaire paraît, le lendemain, dans le « Journal des Modes », annonçant qu'un nouvel et excellent ouvrage de Mozart vient d'être monté sur la scène du théâtre impérial national.
« De la musique, conclut le rédacteur, il suffit de dire qu'elle est de Mozart. »

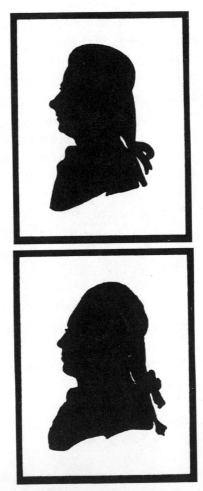

Francesco Benucci et Vincenzo Calvesi, créateurs des rôles de Guglielmo et Ferrando dans « Cosi fan tutte ». Silhouettes de Löschenkohl.

1790

« Cosi fan tutte, ossia la Scuola degli Amanti » se traduit par « Ainsi font-elles toutes, ou l'Ecole des amants ».

C'est une parfaite comédie d'artifices, se déroulant à Naples en 1790, et mettant en scène trois couples: une paire de complices (Don Alfonso et Despina), un premier couple d'amants sentimentaux (Fiordiligi et Guglielmo) et un second couple d'amants plus prosaïques (Dorabella et Ferrando).

L'intrigue, qui observe la règle classique de l'unité de temps, de lieu et d'action, est fort simple. Un vieux roué, Don Alfonso, ayant déclaré que toutes les femmes sont infidèles, ses amis, les officiers Guglielmo et Ferrando, font avec lui un pari dans le but de démontrer l'honnêteté absolue de leurs fiancées, Fiordiligi et Dorabella. Ils feignent de partir pour la guerre, mais reviennent aussitôt, déguisés en Albanais, et chacun d'eux réussit, grâce à la complicité de Don Alfonso et de la soubrette Despina, à séduire la fiancée de l'autre. Les contrats de mariage sont à peine signés que le pot aux roses est découvert. Les amants se brouillent, naturellement, puis, à la fin, se réconcilient.

L'on a raconté que c'était Joseph II lui-même qui avait suggéré, voire même imposé, le sujet de « Cosi fan tutte » à Mozart. D'autre part, comme ce n'est pas la première fois qu'un *opera buffa* raconte les mésaventures de deux couples d'amants succombant aux machinations de quelque personnage diabolique, l'on peut supposer que da Ponte se soit inspiré d'intrigues analogues, antérieures à « Cosi ».

Le dix-neuvième siècle, qui ne pouvait admettre que l'on tournât en ridicule la vertu des femmes, dénonça vigoureusement l'« impardonnable stupidité » de cet opéra. Beethoven et Wagner en furent scandalisés et Barbier et Carré, les librettistes de « Faust », allèrent même jusqu'à tenter d'en adapter la musique à la comédie « Love's Labour Lost » de Shakespeare.

Dans « Cosi fan tutte », opéra misogyne par excellence, l'amour et les femmes sont, en effet, bafoués avec un cynisme impitoyable. Le dix-neuvième siècle ne pouvait s'amuser du fait que ce sont précisément la fausseté et l'insincérité exprimées dans cette comédie qui lui donnent son charme particulier.

Le principal défaut du livret reste, justement, qu'on ne peut jamais prendre les personnages au sérieux.

Mozart a beau exprimer, dans cette éblouissante parodie des relations humaines, une gamme infiniment riche d'émotions, ce ne sont toujours à la fin que des pantins qui les éprouvent et l'on peut difficilement croire en leurs sentiments.

Tout, dans « Cosi fan tutte », est exagéré, hors nature; mais la parodie est si astucieuse, l'imitation de la vie si parfaite, qu'on se surprend, parfois, à la mettre en doute.

Aussi, forcé d'accepter ce livret factice, Mozart décida-t-il de tout miser sur la musique.

Sur le plan de l'accompagnement des voix et de l'orchestration, « Cosi fan tutte » pourrait bien être la plus belle partition de Mozart; c'est, sans aucun doute, la plus sensuelle. Les bois y sont utilisés avec une exceptionnelle félicité, principalement les voluptueuses clarinettes.

A l'orchestre incombe le rôle de commentateur. Il prend une part très étroite à l'action, suit les personnages pas à pas, mentant, pleurant et riant avec eux, les jugeant sévèrement et se moquant d'eux sans pitié.

Plus que tout autre opéra de Mozart, « Cosi fan tutte » est un opéra d'ensembles: pour treize airs, on y trouve six duos, cinq trios, un quatuor, deux quintettes, un sextuor, un choeur et deux grands finales avec choeur.

Avec ses trente et un numéros, c'est le plus long des ouvrages lyriques de Mozart; qu'il soit ramassé en deux actes et que peu d'événements s'y produisent le font paraître encore plus long.

Chacun des six personnages a deux airs à chanter, exception faite pour Ferrando qui en chante trois.

Le personnage le plus chichement servi, musicalement, est Don Alfonso, dont l'importance, cependant, dans l'action, est prédominante. Ses deux airs, « Vorrei dir, e cor non ho » (no 5) et « Tutti accusan le donne » (no 30), sont dans l'esprit du personnage: cyniques et cassants.

Les deux airs de Despina, « In uomini, in soldati » (no 12) et « Una donna a quindici anni » (no 19), sont légers, gais et provocateurs; ils serviront de modèles aux airs de soubrettes des futures opérettes viennoises.

Le rôle de Fiordiligi est celui que Mozart a le plus flatté, sans doute parce que son interprète était la tendre amie de Lorenzo da Ponte. Elle chante « Come scoglio immoto » (no 14), air périlleux semé de sauts d'intervalles destinés à montrer l'étendue de sa voix, ainsi que le brillant rondo « Per pieta, ben mio, perdona » (no 25), avec ses deux cors obligés.

Des deux arias confiées à Dorabella, « Smanie implacabili » (no 11), qui parodie un grand air tragique d'*opera seria,* est admirable de passion mensongère et de fausse noblesse; la seconde, « E amore un ladroncello » (no 28), laisse étrangement indifférent.

Le premier air de Guglielmo, « Non siate ritrosi » (no 15), est supérieur à un autre air plus long et plus cru, « Rivolgete a lui lo sguardo », K. 584, que Mozart avait écrit précédemment et qu'il finit par supprimer dans le seul but de ne pas retarder l'action de la pièce. Guglielmo chante aussi un air bouffe, « Donne mie, la fate a tanti » (no 26), sur un délicieux accompagnement d'orchestre moqueur, dans lequel il apprend à son ami que la déloyale Dorabella lui a cédé son portrait contre un petit cœur en or.

Les deux premiers airs de Ferrando, « Un'aura amorosa » (no 17) et la cavatine « Tradito, schernito » (no 27), sont dans le style un peu froid des airs de Don Ottavio. Le troisième, « Ah, lo veggio quell'anima bella » (no 24), reprend un thème qu'avait noté Mozart dans sa première ébauche du finale du Quintette pour clarinette et cordes, K. 581.

Ce sont surtout les ensembles qui font la beauté exceptionnelles de « Cosi fan tutte ».

Parmi ceux-ci, au premier acte, il faut retenir le premier

1790

duo de Fiordiligi et Dorabella, « Ah guarda, sorella » (no 4), qui, avec ses clarinettes et ses bassons langoureux, établit l'atmosphère élégante, parfumée et sensuelle du jardin des deux sœurs où une grande partie de l'action va se dérouler; les deux quintettes, « Sento, o Dio » (no 6), et, surtout, le quintette des adieux, « Di scrivermi ogni giorno » (no 9), si beau qu'il donne envie de croire en la sincérité des deux héroïnes; l'exquis petit trio « Soave sia il vento » (no 10), et, enfin, le trio du rire: « E voi ridete » (no 16), d'un humour irrésistible.

Au deuxième acte, l'on admirera la grâce charmante et facile du duo « Prendero quel brunettino » (no 20); l'adorable sérénade « Secondate, aurette amiche » (no 21) que Ferrando et Guglielmo donnent dans une barque pleine de chanteurs et de musiciens; enfin, l'incomparable duo de Fiordiligi et de Ferrando, « Fra gli amplessi » (no 29), qui ressemble à s'y méprendre à une vraie déclaration d'amour.

Le sextuor « Alla bella Despinetta » (no 13) permet à Mozart de faire comprendre rapidement et avec netteté une situation compliquée.

Les finales du premier et du deuxième acte comportent, respectivement, cinq et huit numéros. Beaucoup de choses intéressantes s'y passent et ils demeurent des modèles d'organisation et d'ingéniosité.

Dans le finale du deuxième acte, l'on admirera un quatuor vocal (larghetto) au cours duquel Fiordiligi, Dorabella et Ferrando portent un toast à leur bonheur, pendant que Guglielmo, de fort mauvaise humeur, leur souhaite cordialement de s'empoisonner.

281

Ce morceau est dans le style de certaines sérénades en trio comiques de Mozart, toutes façonnées sur un même modèle: des donneurs de sérénades, qui portent aux nues l'amour et les femmes, sont interrompus, dans leurs sentimentales déclarations, soit par un rival, soit par un ivrogne, qui, pour leur part, prônent la folie d'aimer et l'infidélité des femmes.

La sérénade interrompue « Liebes Mädchen », K. 441 c, écrite en 1783, illustre cette forme d'humour qui semble avoir particulièrement amusé Mozart.

Oeuvre unique écrite entre le 26 janvier et juin 1790

Quatuor à cordes en Si bémol majeur, K. 589 (Prussien no 2)

44

1790 | Quatuor à cordes en Fa majeur, K. 590 (Prussien no 3)

1. **Allegro moderato**
2. **Andante en Do majeur**
3. **Menuet et trio**
4. **Allegro**

Le lendemain de la première de « Cosi fan tutte », Mozart fête ses trente-quatre ans.

Au mois de février, l'opéra sera chanté quatre fois et avec un succès qui fera déplorer à Mozart que la maladie empêche l'empereur d'entendre cet ouvrage commandé par lui.

L'empereur ne l'entendra jamais; le 20 février, Joseph II meurt subitement. Deuil national et fermeture instantanée des théâtres jusqu'au mois d'avril; la carrière de « Cosi fan tutte » se trouve momentanément interrompue.

A bout de ressources, Mozart harcèle Michæl Puchberg et lui adresse, l'une après l'autre, une longue série de demandes d'emprunts.

Au début d'avril, il écrit: « Je suis maintenant au seuil de la prospérité, mais l'opportunité sera perdue à jamais si cette fois, je ne puis en profiter . . . Vous aurez sans doute remarqué que, depuis quelque temps, je suis toujours triste — et ce ne sont que vos très nombreuses bontés envers moi qui m'ont empêché de me confier à vous. Mais maintenant, une fois encore et une dernière fois, je fais appel à vous pour que vous m'appuyiez de toutes vos forces à ce moment critique où va se jouer tout mon bonheur . . . »

Nouvelle lettre le 8 avril: « Vous avez raison, très cher ami, de me refuser l'honneur d'une réponse! Mon importunité est trop grande. Je vous prie seulement de considérer ma situation sous tous ses angles, de vous souvenir de ma cordiale amitié et de ma confiance en vous et de me pardonner! Mais si vous pouvez et voulez m'arracher à un embarras temporaire, alors, pour l'amour de Dieu, faites-le! »

Au début de mai, il revient à la charge: « Il me faut quelque chose pour vivre jusqu'à ce que mes concerts soient organisés et que j'aie envoyé chez le graveur les quatuors auxquels je travaille. Alors, si seulement je pouvais avoir au moins 600 florins, je pourrais composer l'esprit plus tranquille. Ah, pour un peu de tranquillité . . . ! »

A Joseph II succède son frère, le grand-duc de Toscane, qui sera couronné sous le nom de Leopold II.

Le nouvel empereur procède, dès son avènement, à certains remaniements du personnel de sa cour. Mozart conserve son poste de compositeur de la chambre et ses maigres appointements, mais Lorenzo da Ponte, et sa maîtresse, Ferrarese del Bene, sont en défaveur et doivent quitter Vienne. Mozart assiste avec regret au départ de son meilleur librettiste. Da Ponte ira finir sa carrière aux Etats-Unis où il mourra, en 1838, à l'âge de 89 ans.

Sentant sans doute peser aussi sur lui la désapprobation de Leopold II, le *Kapellmeister* Salieri s'empresse de donner sa démission et réussit à faire nommer à sa place (et à la place de Mozart) son élève Joseph Weigl.

Toujours à l'affût d'un poste avantageux et désireux d'améliorer l'état de ses finances, Mozart envoie une pétition à l'empereur dans l'espoir d'être nommé second *Kapellmeister*.

Pour renforcer sa demande, il adresse également, au début de mai, une requête au fils de Leopold II, l'archiduc Franz: « J'ose supplier très respectueusement Votre Altesse Royale d'user de sa très gracieuse influence auprès de Sa Majesté le Roi au sujet de la pétition que j'ai humblement fait parvenir à Sa Majesté. Poussé par l'ambition de la gloire, l'amour du travail et l'assurance que j'ai de posséder de vastes connaissances, je me permets de solliciter le poste de second Kapellmeister, d'autant plus que Salieri, ce très habile Kapellmeister, ne s'est jamais consacré à la musique religieuse, alors que je maîtrise ce style depuis ma jeunesse. Le peu de renommée que mon jeu sur le pianoforte m'a permis d'acquérir dans le monde m'a encouragé à demander à Sa Majesté la grâce de me voir confier l'éducation de la Famille Royale . . . »

Le 17 mai, Mozart apprend à Michæl Puchberg qu'il est contraint d'avoir recours à des usuriers: « Si vous saviez seulement quel chagrin et quel tourment cette affaire me cause. Cela m'a empêché, ces derniers temps, de terminer mes quatuors. J'ai maintenant grand espoir d'être nommé à la cour, car j'ai appris de source sûre que l'Empereur n'a pas renvoyé ma pétition avec une mention favorable ou défavorable, comme les autres, mais l'a retenue. C'est bon signe. »

Aucune des démarches tentées par Mozart ne donnera de résultats et il continuera à s'enfoncer de plus en plus dans la misère.

Sa santé est mauvaise. Il souffre de maux de tête. Malgré l'exiguïté de son logement, il a deux élèves et demande qu'on fasse savoir qu'il donne des leçons.

Constanze ne va pas mieux; au début de mai, elle part prendre les eaux à Baden, sur les conseils du médecin.

De Vienne, où il est resté seul, Mozart écrit à sa femme que le 1er juin, il est retourné entendre le dernier acte d'« Una Cosa rara » de Martin y Soler auquel il préfère, dit-il, « Die beiden Antons », un *singspiel* de Benedikt Schack. Ce Schack, flûtiste et chanteur attaché à la troupe du théâtre de Schikaneder, créera, l'année suivante, le rôle de Tamino dans « La Flûte enchantée ».

Depuis « Cosi fan tutte », Mozart n'a composé qu'un second quatuor à cordes pour le roi de Prusse (en Si bémol majeur, K. 589). En juin, il en termine un troisième: le Quatuor en Fa majeur, K. 590, son dernier quatuor à cordes.

Dans une nouvelle lettre à Puchberg, il écrit: « J'ai dû céder mes quatuors (des œuvres si difficiles) pour une bagatelle, simplement pour avoir de quoi faire face à mes présentes difficultés . . . »

* * *

Les deux premiers Quatuors Prussiens (K. 575 et 589) sont conçus de façon à satisfaire Friedrich Wilhelm, tout en le ménageant.

Dans le Quatuor en Fa majeur, tout à coup, le violoncelle royal a beaucoup à faire et réclame son indépendance. Ecrit au milieu des pires tourments, ce quatuor ne pouvait être mondain; il ne pouvait être que ce qu'il est: un chef-d'œuvre complexe, abstrait, personnel, original par l'audace de son finale, et, certainement, d'une exécution prohibitive pour le roi de Prusse.

Peut-être est-ce justement parce qu'il déplut au roi que Mozart ne compléta pas la série de six quatuors qui lui avait été commandée . . .

Le Quatuor en Fa majeur est l'un des plus audacieux des dix grands quatuors à cordes de Mozart; c'est, à coup sûr, le plus agressif.

* * *

1. Allegro moderato. Le premier sujet pose une question qui commence *piano* et qui devient brutalement *forte* à la

deuxième mesure. Une brève réponse affirmative est donnée et un dialogue pressant s'engage entre le premier violon et le violoncelle, réduisant le second violon et l'alto
à un effacement constant. Malgré l'importance accordée
au violoncelle, l'équilibre sonore de l'ensemble, cependant,
reste parfait. Après un court développement polyphonique, le morceau se termine par une exquise et surprenante
coda, palpitante d'émotion.

2. Andante en Do majeur. Cet *andante* (marqué *allegretto* dans certaines éditions) n'est pas un vrai mouvement
lent. Il est entièrement bâti sur une même figure rythmique, impérieuse et insistante. Un chant grave, dissonant,
d'une amère mélancolie.

3. Menuet et trio. Le menuet est assez conventionnel,
marqué d'accents irréguliers qui lui donnent une démarche incertaine. Le trio lui ressemble comme un frère; peut-
être est-il un peu moins morose.

4. Allegro. Ce finale est en tous points remarquable;
c'est le plus violent que Mozart ait jamais donné à une
œuvre de musique de chambre. Son unique thème hou-
leux aboutit à un développement accidenté, vertigineux,
exigeant la plus grande virtuosité de la part des quatre
instrumentistes. Une fièvre rythmique démoniaque dévore
cet *allegro* qui fait l'aveu du désarroi dans lequel Mozart
était plongé en juin 1790. La maîtrise est suprême et le
ton entièrement nouveau. Dernier quatuor à cordes de
Mozart, plein d'éblouissantes promesses.

Oeuvres écrites entre juin et décembre 1790

Réorchestration de « La Fête d'Alexandre » de Handel, K. 591

Réorchestration de l'« Ode à Sainte Cécile » de Handel, K. 592

Orchestration du duo comique « Nun liebes Weibschen » de Benedikt Schack, K. 625

45

1790

Quintette à cordes en Ré majeur, K. 593

1. **Larghetto; allegro**
2. **Adagio en Sol majeur**
3. **Menuet et trio**
4. **Allegro**

Du 26 janvier, date de la première de « Cosi fan tutte », jusqu'au mois de juin 1790, Mozart n'a réussi à composer que deux quatuors à cordes pour le roi de Prusse.

De juin à décembre, il n'écrira rien.

D'une sonate en Fa majeur qu'il entreprend pour la princesse Friederike, il ne subsiste que trois ébauches.

Ces six mois de silence montrent la gravité de la crise que traverse Mozart et la profondeur de son désespoir.

Le 14 août, absolument désemparé, il implore Michæl Puchberg: « Très cher ami et frère, autant je me sentais modérément bien hier, autant je suis horriblement malade aujourd'hui. Je n'ai pu, tant je souffrais, fermer l'œil de la nuit. J'ai dû m'échauffer hier à trop marcher et sans m'en rendre compte j'aurai pris du froid. Essayez de vous représenter mon état — malade et ravagé par les soucis et les inquiétudes. Cet état d'esprit empêche absolument ma guérison. Dans une semaine ou deux, je serai dans une meilleure posture — certainement — mais pour l'instant, c'est la misère! Ne pouvez-vous m'assister d'un petit quelque chose? La somme la plus minime me viendrait en aide là où j'en suis. Pour un moment, au moins, vous tranquilliseriez votre ami véritable, serviteur et frère, W. A. Mozart ».

Ce jour-là, Puchberg envoie à Mozart, dans ces heures les plus noires de son existence, la « somme la plus minime » qu'il lui a prêtée jusqu'à ce jour: dix florins.

Malgré toute l'admiration qu'il porte à Mozart, il semble évident que Puchberg a fini par ne plus voir en lui qu'un insupportable tapeur.

Le double mariage des archiducs Franz et Ferdinand, fils de Leopold II, avec les filles du roi et de la reine de Naples, donne lieu, à Vienne, à toutes sortes de festivités dont Mozart est exclu. On chante les opéras de Salieri et de Weigl; on ne chante pas les siens. Il n'est invité nulle part. Ses anciens admirateurs ne peuvent pas ignorer sa misérable situation; pourtant, aucun secours ne lui parvient.

Les cérémonies du couronnement de Leopold II doivent avoir lieu à Francfort, le 9 octobre. Bien qu'il ne compte pas parmi les invités de la cour impériale, Mozart décide de s'y rendre quand même, dans le vague espoir de montrer qu'à trente-quatre ans, il n'est pas encore un homme fini.

Mais pour partir, il faut de l'argent et il n'en a pas. Puchberg ne lui fait plus, à présent, que l'aumône. Mozart réus-

1790

sit à emprunter, d'un certain Heinrich Lackenbacher, un fort montant d'argent remboursable en deux ans et fait, par surcroît, des arrangements avec l'éditeur Hoffmeister pour arrondir sa bourse.

Jamais encore il n'a fait des emprunts aussi considérables; il en sera tourmenté tout le long de son voyage.

Mozart ne part pas seul; son beau-frère Franz Hofer l'accompagne. Les deux hommes quittent Vienne le 23 septembre 1790.

Est-ce le simple fait d'avoir quitté une ville où il étouffe? Mozart se sent soudain presque joyeux. Le 28 septembre, de Francfort-sur-le-Main, il écrit à Constanze: « A Ratisbonne, nous avons déjeuné magnifiquement aux accents d'une musique divine et bu d'un glorieux Moselle ... Je suis fermement résolu à faire ici le plus d'argent possible pour te revenir ensuite avec joie. Quelle merveilleuse existence nous allons bientôt mener! Je travaillerai — je travaillerai si fort — que jamais plus nous ne serons réduits à un tel désespoir ... »

La bonne humeur de Mozart sera de courte durée.

A Francfort, on l'accueille avec un enthousiasme tel qu'il décide de donner un concert. « Déjà, on m'invite partout, se plaint-il à Constanze, et malgré la fatigue que j'éprouve de me donner ainsi en spectacle, je dois nécessairement accepter. »

Une représentation de « Don Giovanni » est annoncée en son honneur, mais c'est « Figaro » qu'on donne, à la fin.

Son concert a lieu le 15 octobre, de onze heures du matin à deux heures de l'après-midi. Le programme est entièrement composé de ses œuvres. Mozart y joue son Concerto en Ré majeur, écrit trois ans auparavant, et que l'on appelle depuis le Concerto du couronnement.

Comme il y avait, ce même jour, un grand déjeuner chez un prince et des manœuvres de l'armée de la Hesse, le public est clairsemé et les profits sont maigres. « Il est vrai que je suis célèbre, admiré et populaire, à Francfort, avoue Mozart à sa femme, mais au fond, les gens de cette ville sont encore plus radins que les Viennois. »

Le voyage n'a pas remporté le succès qu'il en attendait. Son amertume est grande, mais il est trop tard pour avoir des regrets. « Du point de vue de l'honneur et de la gloire, écrit-il encore à Constanze, le soir même de son concert, j'ai remporté un succès magnifique. Pour la recette, c'est une catastrophe . . . Je partirai donc lundi. Je dois terminer ma lettre ou je vais manquer la poste. Je vois, par tes lettres, que tu n'as pas encore reçu aucune de mes lettres de Francfort. Et pourtant, je t'en ai envoyé quatre. Le pis est que je crois sentir que tu mets en doute ma ponctualité et mon empressement à t'écrire, ce qui me chagrine beaucoup. Tu dois pourtant me connaître mieux que ça. Dieu de bonté! Aime-moi seulement la moitié comme je t'aime et je serai content. Toujours, ton Mozart ».

Mozart quitte Francfort le 16 octobre, après un séjour de vingt jours. En chemin, il s'arrête à Offenbach pour rencontrer l'éditeur Johann André. A Mayence, il joue pour le prince-électeur Karl Friedrich von Erthal, pour un cachet dérisoire. Il arrive à Mannheim le soir même de la première dans cette ville de ses « Noces de Figaro ».

Le 4 novembre, de Munich, il écrit à Constanze: « Je ne voulais passer qu'un seul jour ici, mais, à présent, je suis forcé de rester jusqu'au 5 ou au 6, parce que le Prince-Electeur m'a demandé de participer à un concert qu'il donne pour le Roi de Naples. Quel honneur pour la Cour de Vienne que le roi soit obligé, pour m'entendre, de se trouver à l'étranger! »

Sarcastique allusion au fait que, lors du passage à Vienne du roi Ferdinand et de la reine Caroline de Naples, deux mois auparavant, pour le mariage de leurs filles, Mozart n'avait pas été invité à jouer pour eux.

Quelques jours plus tard, Mozart rentre à Vienne, réconforté. A Munich, il a retrouvé ses anciens et bons amis de Mannheim et s'est fait de nouveaux amis maçons. Il a repris goût à la vie en leur chaleureuse compagnie et retrouvé son ardeur créatrice: en effet, au cours des douze prochains mois, la dernière année de son existence, il va écrire chef-d'œuvre sur chef-d'œuvre.

Pendant son absence, Constanze est rentrée en ville et a emménagé dans un appartement de la Rauhensteingasse; ce sera la dernier logis de Mozart.

Une lettre du directeur de l'opéra italien de Londres, O'Reilly, l'attend à son retour. O'Reilly l'invite à venir écrire deux opéras pour lui, en Angleterre, pour une jolie somme, avec une avance de trois cents livres sterling; retenu à Vienne par sa charge de compositeur de la cour et, surtout, par ses dettes, Mozart doit décliner cette invitation.

Pour sa part, l'impresario anglais Salomon a invité Joseph Haydn à donner des concerts à Londres. Haydn a accepté. Le prince Esterhazy vient de mourir, laissant à son compositeur et musicien de cour, outre la liberté, une pension annuelle de 1000 florins.

Salomon a beau lui avoir promis qu'il sera son prochain invité, Mozart est inconsolable.

Le 15 décembre, il assiste, tout en larmes, au départ de son cher Haydn. Les deux hommes ne se reverront plus.

Un peu plus tard, au cours de ce même mois de décembre, Mozart écrit son Quintette à cordes en Ré majeur, K. 593, pour deux violons, deux altos et un violoncelle, pour un riche marchand hongrois, Johann Tost, violoniste amateur qui avait commandé de nombreux quatuors à Haydn.

Sur l'édition d'Artaria de 1793, on peut lire: « *composto per un amatore ungarese* ».

* * *

1. Larghetto; allegro. Le morceau débute par une introduction lente, entrecoupée de pauses solennelles, au cours de laquelle le violoncelle échange de graves propos avec les autres instruments. L'*allegro* comporte des thèmes tantôt spirituels et enjoués, tantôt incertains et hésitants, toujours élégants et décoratifs. Le développement est fouillé, dissonant, plein d'oppositions de *piano* et de *forte*. Avant la récapitulation (fait inusité, chez Mozart, dans le premier mouvement d'une œuvre de musique de chambre), le *larghetto* initial réapparaît, provoquant un bel effet dramatique. Puis, en neuf mesures, d'une main de maître, l'*allegro* est repris et conclu avec une rapidité à couper le souffle. L'écriture, dans ce quintette (comme dans celui qui suivra, K. 614), est transcendante, accordant au violoncelle une importance qui semble indiquer que Mozart pensait peut-être au roi violoncelliste de Prusse, en le notant. L'addition d'un second alto contribue à la libération du violoncelle tout en donnant à la sonorité de l'ensemble une richesse que ne possède pas le quatuor à cordes. En cette fin de l'année 1790, la moins prolifique de sa carrière, Mozart a non seulement retrouvé sa force créatrice, mais une verve incomparable.

2. Adagio en Sol majeur. Malgré l'heureuse et claire tonalité de Sol majeur, cet *adagio* méditatif et passionné n'est pas dépourvu d'une certaine inquiétude. Le premier thème, entrecoupé de silences, comme le *larghetto* du premier mouvement, a quelque chose de haletant, d'accablant. Au milieu du morceau, un miracle se produit: Mozart écoute ses voix intérieures et note leurs messages. Ce passage extraordinaire se situe entre les mesures 52 et 56. Plusieurs choses se produisent simultanément: au contrepoint ascendant du premier violon, le second violon oppose des motifs trillés descendants, tandis que les altos font entendre des frictions de secondes et le violoncelle des pizzicatos accidentés.

3. Menuet et trio. C'est l'un des menuets les plus vigoureux de Mozart, remarquable par son petit air désinvolte et ses jeux canoniques. Le trio est une sérénade raffinée, d'une grande liberté d'expression, comportant aussi des éléments polyphoniques et faisant entendre ces pizzicatos si rares chez Mozart.

4. Allegro. Par son architecture polyphonique imposante, ce finale est digne de figurer auprès du finale de la Symphonie « Jupiter ». Après l'exposition d'un thème en 6/8, plein de vivacité, mais d'apparence anodine, le contrepoint se resserre et les instruments rivalisent de virtuosité avec une énergie à se casser le cou. Un dynamisme et un élan irrésistibles. Ecriture d'une science et d'une grâce incomparables. Ça et là, quelques touches d'un humour très fin.

Seule composition de Mozart écrite en décembre 1790

Fantaisie pour orgue mécanique en fa mineur, no 1, K. 594

46

1791 | Concerto pour piano et orchestre en Si bémol majeur, no 27, K. 595

1. Allegro
2. Larghetto en Mi bémol majeur
3. Allegro

Le 5 janvier 1791, Mozart inscrit à son catalogue thématique la composition de son dernier concerto pour piano: le Concerto en Si bémol majeur, no 27, K. 595.

A qui le destine-t-il? Peut-être à un élève, car il le dote de deux cadences. Serait-ce à Franz Xaver Süssmayr, ce jeune homme de vingt-cinq ans qui est son nouvel élève de composition? Ou n'espère-t-il pas plutôt trouver l'occasion de le jouer lui-même un jour?

Mozart s'est remis au travail avec un regain d'enthousiasme. L'excellence et la nouveauté du quintette à cordes qu'il vient de terminer l'encouragent. Il faut chasser les idées noires, être heureux à tout prix et gagner beaucoup d'argent, car Constanze va être mère pour la sixième fois, au mois de juillet.

Son concerto terminé, Mozart entreprend d'écrire, pour le carnaval, la musique de danse réclamée par sa charge. En janvier, février et mars, il ne composera pas moins de douze menuets, treize danses allemandes, neuf contre-danses et six ländler.

Ces danses sont de purs joyaux. L'invention mélodique et, surtout, la richesse de l'orchestration des six Menuets K. 599, par exemple, en font une œuvre absolument unique dans toute la production mozartienne.

Ne pouvant se permettre de refuser des commandes, Mozart a accepté d'écrire des fantaisies pour l'orgue mécanique d'un certain comte Deym, propriétaire d'un musée de cire. Mais il n'aime pas cet instrument enfantin, qui ne produit pas de vrais sons d'orgue et qui n'est, comme il le décrit lui-même, qu'un « simple petit chalumeau aux sons aigus ».

Toujours honnête, Mozart apporte, néanmoins, beaucoup de soin à ce travail. Les Fantaisies en fa mineur, K. 594 et 608, forment, avec un « Adagio » en Fa majeur, K. 616, tout le répertoire d'orgue mozartien — en dehors des dix-sept brèves sonates d'église écrites à Salzbourg.

Comme le Quatuor à cordes en Ré majeur, K. 499, le Concerto pour piano en Si bémol majeur est une œuvre solitaire, d'un genre nouveau, dépourvu de l'emportement et de la vigueur des grands concertos précédents: un concerto gracieux et serein, d'une forme rigoureusement classique.

* * *

1. Allegro. Un mouvement remarquable de calme et de douceur, exempt de toute tension. Beauté et pureté du chant, profondeur de l'expression, perfection de l'équilibre sonore. Son admirable dépouillement stylistique est l'une des caractéristiques des dernières œuvres de Mozart.

2. Larghetto en Mi bémol majeur. Cette simple et tendre rêverie est l'un des mouvements lents les plus poétiques de Mozart. Un art d'un extrême raffinement; seul l'essentiel y est retenu. A peine décèle-t-on dans la coda un moment de nervosité.

3. Allegro. Un finale enjoué, mais d'une gaieté que rendent réticente certaines modulations en mineur. Neuf jours après avoir écrit ce rondo, Mozart en reprendra le thème principal dans un lied d'inspiration populaire: « Sehnsucht nach dem Frühlinge », K. 596. A cette époque où il compose tant de danses allemandes, de menuets et de contredanses, Mozart est imprégné de musique populaire; on en retrouvera bientôt de nombreux éléments dans « La Flûte enchantée ».

**Oeuvres écrites entre le 5 janvier
et le 12 avril 1791**

Lied « Sehnsucht nach dem Frühlinge », K. 596
Lied « Im Frühlingsanfang », K. 597
Lied « Das Kinderspiel », K. 598
6 Menuets pour orchestre, K. 599
6 Danses allemandes pour orchestre, K. 600
4 Menuets pour orchestre, K. 601
4 Danses allemandes pour orchestre, K. 602
2 Contredanses pour orchestre, K. 603
2 Menuets pour orchestre, K. 604
3 Danses allemandes pour orchestre, K. 605
6 Ländler pour orchestre, K. 606
Contredanse pour orchestre, K. 607
Fantaisie en fa mineur pour orgue mécanique, no 2, K. 608
5 Contredanses pour orchestre, K. 609
Contredanse pour orchestre, K. 610 (« Les Filles malicieu-
ses »)
Danse allemande, K. 611
Air « Per questa bella mano », K. 612
Variations pour piano en Fa majeur, K. 613

47
1791
Quintette à cordes en Mi bémol majeur, K. 614

1. **Allegro di molto**
2. **Andante en Si bémol majeur**
3. **Menuet et trio**
4. **Allegro**

Le 4 mars, un clarinettiste du nom de Joseph Bähr invite Mozart et sa belle-sœur, Aloysia Lange, à participer à son concert et Mozart en profite pour jouer son Concerto en Si bémol majeur du mois de janvier.

C'est à cette époque qu'il reçoit la première de quatre commandes qui vont lui être faites au cours de cette dernière et prolifique année de sa vie.

Le directeur du théâtre Auf der Wieden, Emmanuel Schikaneder, est un artiste que Mozart connaît depuis longtemps et un frère maçon pour qui il a beaucoup d'amitié. Schakaneder cultive principalement le répertoire du *singspiel* et de la féérie.

Or son théâtre est en compétition avec un théâtre du faubourg de Leopoldstadt, que dirige un certain Marinelli, et Schikaneder, afin d'éviter la faillite, vient de tirer une idée de féerie d'un conte oriental de Liebeskind: « Lulu, oder die Zauberflöte » (« Lulu ou la Flûte enchantée »).

C'est un livret de son invention, intitulé « La Flûte enchantée », que Schikaneder propose à Mozart.

Il n'existe pas, pour Mozart, de joie comparable à celle qu'il éprouve quand il écrit pour le théâtre. Il accepte donc la proposition de Schikaneder sans hésitation, bien que la féerie soit un genre nouveau pour lui.

L'on va voir comment, de simple féerie qu'elle était à l'origine, « La Flûte enchantée » va bientôt se transformer en un grand opéra maçonnique.

Le 12 avril, Mozart termine le Quintette en Mi bémol majeur, K. 614, le plus original de ses sept quintettes à cordes.

*   *   *

1. Allegro di molto. Le premier sujet rappelle le thème initial, extrêmement bondissant, lui aussi, du Quatuor « La Chasse » (K. 458). Ce thème, orné de trois trilles, va dominer ce mouvement animé qui fait revivre l'esprit des Quatuors à Haydn. Les cinq instrumentistes discutent avec une ardeur que rien ne peut freiner. Dès le début du développement, le premier violon ne peut s'empêcher de pousser, à deux reprises, ce qui ressemble à s'y méprendre à de véritables cris de joie (mesures 90-96 et 100-106). Ecriture complexe, mais légère; invention et fantaisie d'une incomparable richesse.

304

2. Andante en Si bémol majeur. Ce merveilleux *andante,* empreint d'une joie grave et profonde, est une sorte de thème varié commençant comme une romance rappelant celle de la Sérénade « Eine Kleine Nachtmusik ». Au fur et à mesure des reprises, son thème unique fait l'objet des plus riches ornementations. Séquences de modulations particulièrement dissonantes.

3. Menuet et trio. Le plus vigoureux, le plus viril, peut-être, des menuets mozartiens — certainement le plus animé. Le trio est le frère jumeau de la troisième des Danses allemandes, K. 602, imitant un orgue de Barbarie.

4. Allegro. Ce rondo comporte un premier sujet frivole que Mozart va transformer de la plus prodigieuse façon au cours d'un second couplet auquel il donne l'ampleur contrapuntique d'un solide développement de sonate. Virtuosité et esprit caustique.

Oeuvres écrites entre le 12 avril et le 18 juin 1791

Choeur « Viviamo felici », K. 615 (perdu)
Andante en Fa majeur pour orgue mécanique, K. 616
Adagio et rondo pour harmonica de verre, flûte, hautbois, alto et violoncelle en Do majeur, K. 617
Adagio pour harmonica de verre en Do majeur, K. 356

1791 | 48
Motet
"*Ave verum*
corpus",
K. 618

Au début du mois de mai, Mozart rédige une pétition à l'adresse des conseillers municipaux de Vienne, afin de briguer la succession du *Kapellmeister* Hoffman, devenu vieux et malade.

Comme il l'espérait, le poste d'adjoint au Maître de chapelle de la cathédrale Saint-Etienne lui est décerné, le 9 mai, mais Hoffman survivra à son nouvel assistant.

C'est l'époque où Mozart écrit, pour la jeune musicienne aveugle Marianne Kirchgessner, virtuose de l'harmonica de verre, deux œuvres fort belles qui vont la rendre célèbre: un « Adagio et rondo » en Do majeur, pour harmonica de verre, flûte, hautbois, alto et violoncelle, K. 617, ainsi qu'un bref « Adagio », K. 356, en Do majeur également.

Constanze, enceinte et mal portante, doit repartir pour Baden. Mozart a beaucoup à faire à Vienne et se résigne plus facilement d'avoir à se séparer de sa femme et du petit Karl qui a maintenant près de sept ans. Et puis, Baden n'est pas si loin; Mozart trouvera bien le temps d'aller, à l'occasion, passer quelques heures avec sa famille.

Il écrit donc à un ami, Anton Stoll, chef du chœur de l'église de Baden, pour lui demander de trouver un logement pour sa femme et son fils. De fort bonne humeur, il commence sa lettre par cette apostrophe: « Cher vieux Stoll, ne soyez pas fol...! Auriez-vous l'obligeance de retenir un petit appartement pour ma femme? Deux chambres suffiront, ou bien une chambre et un cabinet de toilette, à condition que ce soit au rez-de-chaussée... J'aimerais savoir si le théâtre de Baden est déjà ouvert?... P.S. Mon adresse: Rauhensteingasse, Kaiserhaus, no 970, premier étage. P.S. Voilà bien la lettre la plus sotte que j'ai écrite de ma vie; mais pour vous, c'est juste ce qu'il faut. »

Constanze et Karl partent pour Baden au début de juin. Mozart organise sa vie solitaire. Par mesures d'économie, il renvoie la bonne, Leonore. Il accepte toutes les invitations qu'on lui fait, dîne chez Puchberg ou Schikaneder, couche chez Leutgeb et, entre deux airs, écrit à Constanze.

Le 6 juin, dans son français incorrect, il écrit ceci à Constanze qu'il appelle affectueusement sa Stanzi-Marini: « *Ma trés cher Epouse! J'écris cette lettre dans la petite chambre au jardin chez Leutgeb ou j'ai couché cette nuit excellemment — et j'espere que ma chere epouse aura passée cette nuit aussi bien que moi. J'y passerai cette nuit aussi, puisque j'ai congédié Leonore et je serais tout seul à la maison, ce qui n'est pas agreable.*

J'attends avec beaucoup d'impatience une lettre qui m'apprendra comme vous avés passée le jour d'hier. Je tremble quand je pense au bain de Saint Antoin, car je crains toujours le risque de tomber sur l'escalier en sortant — et je me trouve entre l'esperance et la crainte — une situation bien desagreable! Si vous n'etiés pas grosse, je craignerais moins. Mais abandonnons cette idee triste! Le ciel aura certainement soin de ma chère Stanzi-Marini. »

Une visite qu'il fait à Baden, deux jours plus tard, doit être écourtée pour qu'il puisse rentrer à Vienne assister à un concert de Marianne Kirchgessner. A son plus vif désappointement, le concert est remis au 19 juin.

« Criés avec moi contre mon mauvais sort! écrit-il aussitôt à Constanze. *Mlle Kirchgessner ne donne pas son academie lundi! Par conséquent j'aurais pu vous posseder, ma chère, tout ce jour de dimanche . . . »*

Et il ajoute, en allemand, cette fois: « Je ne pourrais te dire ce que je donnerais pour être à Baden avec toi plutôt que d'être collé ici. Je m'ennuie tellement que j'en ai composé, aujourd'hui, un air pour mon opéra. Je suis levé depuis quatre heures et demie du matin . . . »

Le 12 juin, en pleine composition de « La Flûte enchantée », Mozart assiste, au théâtre de Marinelli, le rival de Schikaneder, à la représentation d'une féerie de Wenzel Müller intitulée « Kaspar der Faggotist, oder die Zauberzither » (« Gaspard le bassoniste ou la Cithare enchantée »), dont l'intrigue ressemble un peu trop à celle de « La Flûte enchantée ».

C'est possiblement à la suite de cette découverte que Mozart réussit à persuader Schikaneder de transformer son livret en une apothéose de la franc-maçonnerie.

Mozart n'aime pas être seul. Constanze ne lui écrit pas assez souvent à son goût et il s'inquiète à son sujet. Il va au théâtre ou soupe au café pour tromper sa solitude, puis il rentre vite écrire à sa femme, pour la prier de ne pas aller au Casino où on la remarquerait trop et où, d'ailleurs, dans son état, elle ne pourrait même pas danser. Enfin, il peut aller passer six jours entiers à Baden.

Il y retrouve Anton Stoll, toujours prêt à rendre service. Stoll vient, justement, de faire chanter dans son église de Baden la Messe en Do majeur, K. 317, de Mozart, dite du Couronnement.

Pour le remercier d'avoir trouvé un logement pour Constanze et de veiller sur sa femme pendant son absence, Mozart lui offre, à l'occasion de la Fête-Dieu, le célèbre motet « Ave verum corpus », terminé le 18 juin.

Depuis la Messe en do mineur de 1782-83, Mozart n'a écrit aucune musique religieuse.

*   *   *

L'« Ave verum corpus » est un motet en Ré majeur, à quatre voix, avec accompagnement de cordes et d'orgue. Un charme indéfinissable se dégage des quatre feuilles jaunies sur lesquelles Mozart en a noté, d'une écriture délicate et sans une rature, les quarante-six mesures.

Cette œuvre polyphonique, dont l'équilibre est d'une perfection absolue, procède par lentes modulations amenées avec infiniment de grâce et de naturel. Ces pages sont empreintes d'une piété sincère et d'une profonde émotion.

Par sa beauté stylistique et sa couleur harmonique, l'œuvre se rapproche du chœur des prêtres de « La Flûte enchantée » : « O, Isis und Osiris » (no 18 de la partition).

Oeuvres écrites entre le 18 juin
et le 30 septembre 1791

Cantate maçonnique « Dir, Seele des Weltalls », K. 429
Opera seria « La Clemenza di Tito », K. 621

49

1791 | *"Die Zauberflöte"*, K. 620 *"La Flûte enchantée"*

L'une des légendes les plus amusantes qui sont nées de l'histoire de la composition de « La Flûte enchantée » est celle de Schikaneder enfermant Mozart dans un petit pavillon en bois, situé dans le jardin du théâtre Auf der Wieden, et le gavant de mets exquis pour faire avancer le travail.

A en croire certains ragots, Mozart y aurait mené une vie de patachon, en compagnie des acteurs (et actrices) de la troupe de Schikaneder.

Ce pavillon se trouve, aujourd'hui, dans le jardin du Mozarteum, à Salzbourg.

Les ennuis d'argent continuent à talonner Mozart si bien qu'au début de juillet, afin de pouvoir payer l'appartement qu'occupe Constanze à Baden, il doit faire un nouvel emprunt à Puchberg.

Dans une lettre à sa femme en date du 5 juillet, il se plaint

Papageno, l'oiseleur de « *La Flûte
enchantée* ». Illustration de la
première édition du livret.

d'être fatigué: « J'espère te tenir dans mes bras samedi, peut-être avant. Aussitôt mon travail terminé ici, je serai près de toi, car j'ai envie de prendre un long repos dans tes bras; et j'en aurai grandement besoin parce qu'à la fin, cette inquiétude morale et cette angoisse et ces incessantes allées et venues m'ont totalement exténué . . . »

Le 7, il écrit encore: « Tu ne saurais imaginer à quel point tu m'as manqué, ces derniers temps. Je ne puis décrire ce que j'ai ressenti — une sorte de vide qui me fait atrocement mal — une sorte d'aspiration jamais satisfaite, qui ne cesse jamais, qui dure toujours, qui empire même chaque jour. Quand je pense comme nous étions joyeux, tous les deux, à Baden — comme des enfants — et quelles heures tristes et ennuyeuses je vis ici! Même mon travail ne me cause aucune joie, parce que j'ai l'habitude de m'arrêter, de temps en temps, pour échanger quelques mots avec toi . . . Si je vais au piano pour chanter quelque chose de mon opéra, je dois m'arrêter aussitôt: cela me fait trop d'émotion . . . »

Nerveux, malade, souffrant de l'éloignement de ceux qu'il aime, Mozart écrit à Constanze presque tous les jours, insérant dans ses lettres des messages d'amitié et des plaisanteries destinées à son élève Süssmayr qui a bien de la chance, lui, d'être à Baden.

Le 11 juillet, Mozart ramène tout son monde à Vienne. Le 26, Constanze donne naissance à un fils: Franz Xaver Wolfgang Amadeus, qui sera le seul, avec son frère aîné Karl, des six enfants Mozart à survivre.

315

A la fin de juillet, Mozart reçoit la visite d'un inconnu, porteur d'une commande pour un requiem. C'est (Mozart l'ignore, naturellement) le domestique d'un certain comte Walsegg-Stuppach, musicien sans talent qui achète anonymement à des compositeurs connus des œuvres qu'il fait ensuite passer pour siennes. Sa femme vient de mourir et il aimerait que Mozart lui compose une messe des morts.

Dans l'état de nervosité et d'hypertension maladif où il se trouve, Mozart ne peut s'empêcher d'être impressionné par cette mystérieuse visite. Il accepte néanmoins la commande, « La Flûte enchantée » se trouvant, à cette époque, à peu près terminée (mais non tout à fait, bien que Mozart l'ait déjà inscrite à son catalogue).

Et voici qu'une troisième commande lui parvient, cette fois pour un *operia seria* en deux actes que le théâtre national de Prague veut monter, dans cette ville, à l'occasion du couronnement de Leopold II en sa qualité de roi de Bohême.

Un ancien livret de Métastase, « La Clemenza di Tito », lui est imposé et trois semaines seulement lui sont accordées pour la composition.

L'entreprise semble irréalisable.

Mais le travail est si bien payé que, malgré le surmenage et la maladie, Mozart met de côté le « Requiem » qu'il vient d'ébaucher et s'attelle à cette nouvelle tâche; il n'a pas un moment à perdre.

Karl et le nouveau-né sont mis en pension et Mozart part pour Prague en compagnie de Constanze. Il emmène avec lui Süssmayr qui, pour gagner du temps, l'aidera à écrire les récitatifs. Le clarinettiste Anton Stadler viendra, plus tard, les retrouver à Prague pour jouer, dans l'orchestre, les solos que Mozart lui a ménagés dans deux airs: « Parto, parto », avec clarinette obligée (no 9), et le rondo « Non piu fiori », avec cor de basset obligé (no 23).

Au moment du départ, nouvelle apparition du mystérieux inconnu qui réclame la partition du « Requiem ». Mozart, fort embarrassé, doit expliquer la nécessité où il s'est trouvé d'accepter la commande praguoise et prier son visiteur de bien vouloir lui accorder un sursis.

En route, selon son habitude, il travaille sans arrêt et si fiévreusement qu'à son arrivée à la Bertramka, chez les Duschek, il tombe malade d'épuisement; à bout de force, il se demande avec angoisse s'il va tenir le coup. Il doit, pourtant, assister à une réception donnée en son honneur par une loge de Prague, et, le 2 septembre, dans la fièvre des dernières préparations de son nouvel opéra, diriger par surcroît une représentation de « Don Giovanni », en présence de Leopold II et de sa cour.

Personne n'ose recommander à Mozart de se reposer, la mise en scène de « La Clemenza di Tito » ne pouvant absolument pas se faire sans lui.

Comme prévu, l'opéra est chanté le soir du couronnement, le 6 septembre; cet ouvrage a coûté à Mozart une vingtaine de jours d'un travail démesuré et exténuant.

Sombre, grandiose, l'*opera seria* « La Clemenza di Tito » se ressent de la hâte avec laquelle il a été composé. Le morne livret de Métastase n'a pas inspiré à Mozart beaucoup d'intérêt. L'œuvre ne remporte, d'ailleurs, qu'un succès médiocre; l'impératrice la qualifie de « cochonnerie allemande » et les journaux n'en parlent même pas.

A cette époque, la maladie fait, chez Mozart, de rapides progrès. Après la création de « La Clémence de Titus », de fatigue et de désappointement, il sombre dans une profonde mélancolie. On le presse de se reposer quelques jours, mais il doit repartir, une fois encore, la première de « La Flûte enchantée » ayant été prévue pour la fin de septembre.

Mozart rentre à Vienne la mort dans l'âme. Sa santé l'inquiète terriblement. Il sait qu'il devrait s'arrêter, mais il est dans l'impossibilité absolue de le faire: il doit assister aux derniers préparatifs de son opéra allemand.

Le 28 septembre, il note dans son catalogue thématique la composition de l'ouverture de « La Flûte enchantée », ainsi que celle de la Marche des prêtres (no 9) qui sert d'ouverture au deuxième acte. Ce n'est pas la première fois que Mozart écrit l'ouverture d'un ouvrage dramatique en dernier lieu, mais il innove en dotant le deuxième acte de son ultime opéra d'un prélude instrumental.

Enfin, la répétition générale a lieu le 29 septembre et la première le 30.

Le public qui s'entasse, ce soir-là, dans la salle du théâtre Auf der Wieden, n'est évidemment pas le public viennois qui a, autrefois, applaudi aux grands succès de Mozart. C'est le public d'un modeste faubourg qui fréquente fidèlement, comme cela se fait encore de nos jours, son théâtre de quartier: il vient entendre « La Flûte enchantée » non pas parce que la musique est de Mozart, mais parce que la pièce est du célèbre Schikaneder.

La distribution n'est pas des plus brillantes, Schikaneder étant, sans doute, le seul interprète connu de la troupe. Benedikt Schack chante Tamino et Marianne Gottlieb (la première Barbarina des « Noces de Figaro ») tient le rôle de Pamina. Celui de la Reine de la Nuit est chanté par Josepha Hofer, la belle-sœur de Mozart.

Pâle, nerveux, tendu, Mozart dirige du clavecin et Süssmayr tourne les pages de la partition.

Tout d'abord, le public paraît dérouté par cette féerie chargée de symboles égyptiens et qui se déroule aux accents d'une musique trop savante et trop belle; au premier acte, il ne réagit pas et Mozart tremble de voir se répéter l'échec de « La Clemenza di Tito ».

Au deuxième acte, tout à coup, l'auditoire commence à s'amuser franchement et se met à applaudir chaque numéro avec une ardeur grandissante.

Mozart n'en croit pas ses oreilles.

A la fin de la représentation, ce public modeste, mais sincère, l'acclame même avec tant d'enthousiasme, qu'il se cache d'émotion dans les coulisses; Schikaneder et Süssmayr, au comble du ravissement, doivent le traîner en scène pour saluer et répondre aux applaudissements.

Peu à peu, la rumeur de la réussite de « La Flûte enchantée » va se répandre dans Vienne et, soir après soir, son succès s'affirmer. L'opéra sera chanté vingt-quatre fois en octobre, à guichets fermés. L'argent que ce succès inespéré permet à Mozart de gagner apporte, naturellement, un soulagement momentané à sa perpétuelle crise financière.

Pour Schikaneder, Mozart a écrit plusieurs airs dans l'esprit de la musique populaire qui lui font remporter un succès monstre. Le rôle de Papageno est un rôle en or qui permet à tout acteur aimé de son public (et un tantinet cabotin, comme l'est sans doute Schikaneder) de faire le plus grand effet. Et c'est exactement ce qui se produit: tous les soirs, Schikaneder triomphe et le public lui fait une ovation.

Trois jours après la première représentation, Mozart cède la direction de l'orchestre au chef régulier du théâtre. Il est à nouveau seul, à Vienne. Constanze est repartie pour Baden après la première de l'opéra, avec son nouveau-né, sa sœur Sophie Haibel et Süssmayr.

La correspondance se rétablit entre Mozart et sa femme. Dans une lettre écrite le 8 et le 9 octobre, il lui raconte un incident qui est survenu au théâtre et qui l'a beaucoup amusé: « Pendant l'air de Papageno avec le *glockenspiel,* je suis allé derrière la scène parce que j'avais, aujourd'hui, envie de le jouer moi-même. Alors, juste pour rire, à l'endroit où Schikaneder a une pause, j'ai joué un arpège. Il a sursauté, puis m'a aperçu dans les coulisses. A la pause suivante, je n'ai pas donné l'arpège. Cette fois, il s'est arrêté et a refusé de continuer. J'ai deviné sa pensée et j'ai rejoué un accord. Il a aussitôt frappé son instrument en disant: "Ta gueule!" Sur quoi toute la salle a éclaté de rire. Je pense que cette plaisanterie a fait comprendre pour la première fois à beaucoup de gens que Papageno ne frappe pas le jeu de timbres lui-même. A propos, tu n'as aucune idée de la sonorité charmante que produit la musique dans une loge, près de l'orchestre — l'effet est meilleur que de la galerie. Dès ton retour, il faudra que tu t'en rendes compte toi-même ... Je t'embrasse un million de fois et suis à jamais ton Mozart. P.S. Des baisers à Sophie. Tire bien fort le nez et les cheveux de Süssmayr pour moi. Mille saluts à Stoll. Adieu. L'heure sonne. Adieu. Nous nous reverrons ».

Et, après ces adieux empruntés à Sarastro (« Die Stunde Schlägt, wir sehn uns wieder »), Mozart apprend à sa femme, dans un second post-scriptum, qu'il a cherché en vain deux paires de culottes d'hiver jaunes que, par inadvertance, elle a dû envoyer avec les bottes à la buanderie.

* * *

De prime abord, le livret de « La Flûte enchantée » semble n'être qu'un conte de fées absurde et enfantin. Les symboles maçonniques dont il est émaillé ne comportent aucun intérêt pour nous, aujourd'hui; on ne saurait, cependant, les ignorer tout à fait puisqu'ils en avaient beaucoup pour Mozart et Schikaneder. Gœthe, qui pouvait, lui aussi, en saisir la signification, jugeait le livret intéressant au point d'envisager sérieusement de lui donner une suite.

La symbolique maçonnique de « La Flûte » devait être, d'ailleurs, reconnue par les franc-maçons de nombreux pays qui incluèrent les œuvres rituelles de Mozart dans leurs cérémonies.

Au début, le livret racontait l'histoire d'une bonne fée, d'un méchant enchanteur et d'un couple d'amants qui devaient subir toutes sortes d'épreuves avant d'être réunis. (C'est sans doute de cette première version que sont restés certains éléments sans rapport avec la version finale, par exemple l'indication assez surprenante que le jeune prince Tamino, qui sera bientôt initié aux mystères d'Isis et d'Osiris, porte un « magnifique costume de chasseur japonais ».)

A la mi-juin 1791, Mozart et Schikaneder renversent la situation et c'est finalement Pamina, fille de cette Reine de la Nuit qui symbolise le Mal, qui est enlevée par Sarastro, prêtre des mystères d'Isis et d'Osiris, et symbole du Bien. (Le nom de Sarastro rappelle celui de Zoroastre, réformateur de la religion iranienne antique dont Nietzsche devait faire Zarathoustra, le prototype de sa théorie du Surhomme.)

Schikaneder est franc-maçon et les suggestions de Mozart l'intéressent au plus haut point. Il accepte de se prêter à toutes les modifications à condition que son rôle de l'oiseleur Papageno (sa seule véritable contribution dans la pièce) n'en souffre pas. Et, de simple féerie qu'elle était à l'origine, « La Flûte enchantée » devient un opéra où des éléments féeriques et bouffons se mêlent à la philosophie maçonnique.

Maître de tant de genres différents, Mozart est mort avant d'avoir eu l'occasion de définir parfaitement le style de l'opéra allemand et « La Flûte enchantée » accuse les influences les plus diverses.

Comme cette œuvre est avant tout un opéra allemand, destiné à un public populaire, Mozart a fait, de certains numéros destinés à Papageno, de véritables chansons populaires allemandes: son premier air à couplets « Der Vogelfänger bin ich, ja » (no 2); le duo « Bei Männern, welche Liebe fühlen » (no 7) qu'il chante avec Pamina et que Mozart appelle « Mann und Weib »; l'air à trois couplets (et trois accompagnements de *glockenspiel* différents) « Ein Mädchen oder Weibchen » (no 20), au cours duquel Mozart fit sa bonne farce à Schikaneder.

L'on décèlera, également, des traces de musique populaire dans la ritournelle de Papageno, « Schön Mädchen, jung und fein » (du no 6), ainsi que dans «Wer viel wagt » (finale du 1er acte) et « Klinget, Glöckenspiel » (finale du 2ème acte), tous deux chantés par Papageno.

Le grand air de Sarastro, « In diesen heil'gen Hallen » (no 15) est, lui aussi, une belle et solennelle chanson allemande.

L'influence de l'*opera buffa* se fait principalement sentir dans l'air de Monostatos, « Ha, hab'ich euch noch erwischt » (finale I); le quintette de Tamino, Papageno et des trois Dames, « Wie? Wie? Wie? » (no 12), et dans le ravissant petit air de Monostatos, « Alles fühlt der Liebe Freuden » (no 13).

Les deux grands airs de bravoure de la Reine de la Nuit, « O Zitt're nicht, mein lieber Sohn » (no 4) et « Der Hölle

Rache kocht » (no 14), tiennent à la fois de l'*opera seria* et de l'*opera buffa*. Dans le premier de ces airs, la Reine doit exécuter quatorze mesures de roulades sur le mot « dann », en tout 154 notes, aboutissant à un périlleux contre Fa. Cet air est, naturellement, la plainte d'une mère aimante à qui on a arraché sa chère fille; dans le second air, la mère éplorée s'est transformée en une furie diabolique réclamant la plus cruelle des vengeances.

L'air « Dies Blidnis ist bezaubernd schön » (no 3), dans lequel Tamino chante l'amour (à première vue) qu'il éprouve en découvrant le portrait de Pamina, est le premier véritable chant d'amour que Mozart écrit, dans un opéra, depuis « L'Enlèvement au sérail »; les effusions d'Ottavio, de Guglielmo et de Ferrando sont bien pâles en comparaison.

Dans le finale du premier acte, Tamino interprète un autre bel air, tout en s'accompagnant sur sa flûte magique: « Wie stark ist nicht dein Zauberton », que précède son mystérieux entretien avec un prêtre et le chœur, « Die Weisheitslehre dieser Knaben », d'un effet saisissant,

A Pamina, Mozart confie un air d'une qualité exceptionnelle: « Ach, ich fühl's » (no 17), air en sol mineur, auquel le chromatisme prête des accents angoissés, et qui exprime avec une profonde émotion une vraie douleur humaine.

Le grand air avec chœur de Sarastro, « O, Isis und Osiris » (no 10), et le chœur « O, Isis und Osiris, welche Wonne » (no 18) des prêtres (ce dernier si proche de l'« Ave verum corpus »), sont dans le style de la nouvelle musique rituelle et maçonnique de Mozart.

Tout à coup, au cours du finale du deuxième acte, Mozart insère l'un des morceaux les plus étonnants de son opéra: l'inquiétant choral en do mineur des deux Hommes armés, « Der, welcher wandert diese Strasse », inspiré du choral allemand « Ach Gott, vom Himmel sieh'darein ». Musique funèbre qui nous plonge, passagèrement, dans le drame le plus noir.

Le quintette de Monostatos, de la Reine de la Nuit et des trois Dames du deuxième finale, « Nur stille, stille, stille » *(moderato),* à la fin duquel ces personnages sont engloutis dans la nuit éternelle, est aussi fort étrange et doté d'éléments dramatiques certains.

« La Flûte enchantée » est l'opéra de Mozart qui comporte le plus d'ensembles: deux duos, quatre trios, deux quintettes, un chœur et deux finales, pour neuf airs; c'est aussi celui où Mozart utilise le plus à fond le chant choral.

Les deux finales sont, selon l'idéal de Lorenzo da Ponte, de véritables opéras en miniature; le premier (no 6) comporte neuf parties et le second (no 21) treize.

L'œuvre s'achève par le solennel chœur « Heil sei euch Geweihten », entonné à la gloire d'Isis et d'Osiris, auquel succède un second chœur, « Es siegte die Stärke », moins imposant, plutôt joyeux, presque désinvolte même, proclamant la triple victoire de la Force, de la Beauté et de la Sagesse.

Le chiffre trois, chiffre de la triade maçonnique, apparaît à tout instant dans cet ouvrage. L'opéra commence et s'achève dans la tonalité de Mi bémol majeur (trois bémols à la clef). La célèbre ouverture commence par trois accords imposants. L'on doit aussi compter les trois esclaves de Sarastro; les trois Dames qui imposent trois punitions à Papageno; les trois Garçons qui recommandent à Tamino la Constance, la Tolérance et la Discrétion, en des lieux où règnent la Sagesse, le Travail et l'Art; les temples de la Nature, de la Raison et de la Sagesse; les épreuves du feu, de l'air et de l'eau, etc.

Bref, la signification symbolique de « La Flûte enchantée » est si complexe qu'il faut que ce soit sur la beauté de la musique et la magnificence des ensembles que les premiers succès de l'opéra aient été fondés — et non uniquement sur les bouffonneries de Schikaneder.

50

1791

Concerto pour clarinette et orchestre en La majeur, K. 622

1. **Allegro**
2. **Adagio en Ré majeur**
3. **Allegro**

« Je rentre à l'instant de l'opéra, écrit Mozart à sa femme, dans une lettre commencée le 7 octobre et achevée le 8. La salle était pleine, comme d'habitude. Et, comme d'habitude, le duo "Mann und Weib" et la scène du *glockenspiel* de Papageno, au premier acte, ont été bissés, ainsi que le trio des garçons du deuxième acte. Mais ce qui me donne le plus de joie, c'est le *silence approbateur* du public! On peut voir comment cet opéra grandit sans cesse dans l'opinion générale. Et, maintenant, pour un compte rendu de mes activités. Aussitôt après ton départ, j'ai joué deux parties de billard avec Herr von Mozart, le type qui a écrit l'opéra qu'on donne au théâtre de Schikaneder. Ensuite, j'ai vendu mon cheval pour qua-

Mozart à trente-deux ans. Médaillon de
cire de Leonhard Posch, Vienne 1788.

torze ducats. Puis, j'ai ... (envoyé chercher) ... du café noir que j'ai bu en fumant une magnifique pipe de tabac. Enfin, j'ai à peu près achevé d'instrumenter le rondo de Stadler. Sur ces entrefaites, une lettre de lui m'est arrivée de Prague. Tous les Duschek vont bien. »

Le « rondo de Stadler », dont parle Mozart, est le finale du Concerto pour clarinette en La majeur, achevé le 7 octobre et destiné à Stadler. Mozart l'a composé à partir d'une esquisse pour un concerto pour cor de basset qu'il avait ébauchée, puis abandonnée, à l'époque de la composition du Quintette pour clarinette en La majeur, K. 581.

C'est la seule mention que fasse Mozart, dans ses écrits personnels, de ce concerto qui est le plus beau et le plus parfait de ses concertos autres que pour le piano — et sa dernière grande œuvre.

*   *   *

1. Allegro.   Ce mouvement, auquel Mozart donne de majestueuses proportions, ne comporte aucun déploiement polyphonique et demeure toujours un divertissement de la plus haute qualité.   Par son dépouillement et son ingénuité, le thème initial rappelle celui que l'on entend au début du Concerto pour piano en Si bémol majeur.   Musique tranquille, discrète, parfois même un peu hautaine.   La clarinette y brille constamment sans jamais tomber dans la vulgarité de l'exhibitionnisme.   Son principal plaisir semble consister à faire admirer la variété de son coloris, l'étendue de son registre et la facilité avec laquelle elle peut rapidement passer du grave à l'aigu.

2. Adagio en Ré majeur. Ce morceau, dans le style libre d'une fantaisie, déroule lentement, et non sans solennité, une longue cantilène d'une grave beauté. Transparence de l'écriture. Recueillement et sérénité.

3. Allegro. Dans cet élégant rondo final, la pudique clarinette ne cédera jamais à la tentation de la bouffonnerie, comme le ferait, sans doute, un basson; elle se montre enjouée, mais digne. Musique ni gaie, ni triste.

* * *

Le 13 octobre, en compagnie de son beau-frère Hofer, Mozart va chercher son fils Karl à l'école de Perchtoldsdorf, dans la banlieue viennoise.

Le soir, il emmène Salieri et Caterina Cavalieri au théâtre Auf der Wieden, pour leur faire entendre « La Flûte enchantée ». Karl et sa grand-mère Weber assistent aussi au spectacle.

Le lendemain, Mozart s'empresse de décrire à sa femme les réactions de Salieri et de Madame Cavalieri: « Tu ne saurais imaginer à quel point ils ont été charmants et combien ils ont aimé non seulement ma musique, mais le livret et tout l'ensemble. Ils ont dit, tous deux, que c'était un *operone* (grand opéra), digne d'être représenté dans les occasions les plus grandioses et devant les plus grands monarques, et qu'ils reviendraient souvent le voir, parce qu'ils n'avaient jamais assisté à un spectacle plus beau, ni plus enchanteur. Salieri a écouté et regardé avec la plus vive attention et, de l'ouverture au dernier chœur, il ne s'est pas trouvé un seul numéro qui ne lui ait arraché un bravo! ou un bello! ... Après le spectacle, je les ai raccompagnés et suis allé ensuite souper chez Hofer avec Karl ... Karl était absolument ravi d'être emmené à l'opéra. Il a une mine superbe. Pour sa santé, l'école est parfaite, mais pour le reste, hélas, quel malheur! ... A tout prendre, Karl n'est ni meilleur ni pire qu'avant. Il n'a pas perdu ses mauvaises habitudes d'autrefois; il n'arrête pas de jacasser, comme par le passé; je dirais même qu'il est encore *moins enclin à apprendre qu'avant.* Tout ce qu'il fait là-bas (à l'école) consiste à vagabonder dans le jardin cinq heures le matin et cinq heures l'après-midi, comme il l'a d'ailleurs lui-même avoué. En somme, les enfants ne font que manger, boire, dormir et se promener ... Hier, toute la journée a été prise par ce voyage à Bernstorf (Perchtoldsdorf), c'est pourquoi je n'ai pu t'écrire. Mais que toi, tu ne m'aies pas écrit en deux jours, est vraiment impardonnable. J'espère qu'aujourd'hui je recevrai une lettre de toi et que demain je pourrai te parler et t'embrasser de tout mon cœur. Adieu. A jamais, ton Mozart ».

C'est par ces critiques sur l'éducation de son fils et ces reproches à sa femme que se termine la dernière lettre de Mozart.

Le 15 octobre, Mozart est à Baden. Le 16, il ramène à Vienne Sophie, Constanze et le petit Franz Xaver. Les deux femmes sont frappées par sa mauvaise mine. A compter de ce jour, la santé de Mozart va donner les plus vives inquiétudes à son entourage; lui-même ne doit plus se faire beaucoup d'illusions sur son état.

Pourtant, il se remet à ce Requiem en ré mineur, K. 626, dont il ne termine entièrement que l'Introït: le « Requiem æternam » et le « Kyrie eleison ». Il ébauche certains morceaux et esquisse huit mesures d'une idée sublime pour un « Lacrymosa ». Süssmayr complétera ces ébauches et composera, imitant de son mieux le style de son maître, un « Sanctus » et un « Agnus Dei ».

Dans la nuit du 20 novembre, Mozart se sent, tout à coup, si mal que Constanze envoie immédiatement chercher le docteur Closset. Il souffre de paralysie partielle et d'enflure aux mains et aux pieds. Constanze et Sophie se relayent à son chevet. Sophie et sa mère, la vieille Frau Weber, travaillent à une robe de chambre que le malade pourra porter, pendant sa convalescence.

Mozart, à présent, sait qu'il va mourir et ne se donne plus la peine de s'en cacher devant les siens.

Il regrette de laisser le « Requiem » inachevé. Benedikt Schack a raconté qu'une répétition des premières parties de cette messe avait été organisée chez Mozart, dans l'après-midi du 3 décembre.

Chaque soir, Mozart suit par la pensée les représentations de « La Flûte enchantée » qui continuent de faire salle comble au théâtre de Schikaneder.

La veille de sa mort, le 4 décembre, il fredonne d'une voix faible le « Der Vogelfänger bin ich, ja » de Papageno. L'un de ses amis, qui se trouve à ses côtés, le maître de chapelle Roser, se met alors au piano et lui chante l'air. Mozart rit et pleure à la fois.

Süssmayr se tient au chevet de son maître. Le « Requiem » est étalé sur l'édredon et Mozart explique au jeune homme comment, selon son opinion, il devra le terminer après sa mort.

Le soir, il semble si proche de la mort que Constanze, affolée, envoie Sophie chercher un prêtre; l'ecclésiastique n'accepte de venir qu'après s'être longtemps fait prier.

On cherche désespérément le docteur Closset; il est au théâtre; il ne pourra venir que tard dans la nuit.

Mozart a le front brûlant de fièvre. Le médecin prescrit des compresses froides qui ne réussissent qu'à lui faire perdre connaissance.

A minuit, Mozart tourne la tête vers le mur et semble s'endormir.

Il meurt à minuit cinquante-cinq, le 5 décembre 1791.

Le lendemain, un bref service religieux sans musique a lieu à la cathédrale Saint-Etienne.
Constanze est trop fatiguée et malade pour assister à la cérémonie, mais Süssmayr est là, ainsi que Hofer, Sophie et son époux, le compositeur Jakob Haibel, Schikaneder, Salieri et le baron van Swieten.

L'on a raconté qu'à cause du mauvais temps, le cortège funèbre se serait dispersé avant d'arriver au cimetière

Saint-Marx et que le cercueil aurait été jeté dans une fosse commune, avec les morts des derniers jours.

D'autre part, l'on a rapporté qu'il faisait un temps doux et humide.

Il reste que, jusqu'à nos jours, la tombe de Mozart n'a jamais été retrouvée.

Note explicative

En 1969, j'ai présenté, à la radio de Radio-Canada, 130 émissions d'une heure sur la vie et l'œuvre de Mozart, et 160 autres en 1971. Aucun des textes alors utilisés n'a été reproduit dans ce livre. Ce n'est que la seconde des deux séries achevée que furent entreprises les études et recherches qui ont permis de donner à cet ouvrage de vulgarisation sa forme définitive.

La production mozartienne ne se résume évidemment pas à 50 chefs-d'œuvre. J'ai donc fait un choix personnel (sans doute discutable) des 50 compositions qui me paraissent être les jalons des quinzes dernières années de l'existence de Mozart — la période de sa maturité.

Il n'existe pas, en langue française, d'édition complète et satisfaisante des lettres de Leopold et Wolfgang Amadeus Mozart. Je suis reconnaissant aux éditeurs de l'ouvrage d'Emily Anderson, « The Letters of Mozart and his Family », de m'avoir autorisé à adapter, de la traduction anglaise, mes propres traductions des lettres reproduites en partie ou en entier dans ce livre.

Remerciements au Conseil des Arts du Canada pour avoir rendu possible un voyage à Londres, à Vienne et à Salzbourg, au cours duquel j'ai consulté le catalogue thématique de Mozart et plusieurs manuscrits importants; aux bibliothécaires du British Museum, à Londres; au docteur Franz Grasberger de la Bibliothèque Nationale d'Autriche, ainsi qu'au docteur Mittringer de la Société des Amis de la Musique, à Vienne.

Les illustrations sont reproduites grâce à la bienveillante autorisation du Mozarteum de Salzbourg, du British Museum de Londres et de la Musikbibliothek Peters de Leipzig.

P. R.

Bibliographie

ANDERSON, Emily: *The Letters of Mozart and his Family* (St. Martin's Press, New York, 1966).

BLOM, Eric: *Mozart* (Pellegrini and Cudaby Inc., New York, 1949).

DENT, J. Edward: *Mozart's Operas* (Oxford University Press, 1966).

EINSTEIN, Alfred: *Mozart, l'homme et l'œuvre* (Desclée de Brouwer, 1954).

GIRDLESTONE, Cuthbert: *Mozart and his Piano Concertos* (Dover Publications, New York, 1964).

HUGHES, Rosemary: *Haydn* (Pellegrini and Cudaby Inc., New York, 1950).

JAHN, Otto: *Life of Mozart* (Cooper Square Publishers Inc., New York, 1970).

KELLY, Michæl: *Reminiscences* (London, 1826).

KÖCHEL, Ludwig von: *Chronologisch-thematisches Verzeichnis sämtlicher Tonwerke Wolfgang Amade Mozarts* (Leipzig, 1937).

LANDON, H.C. Robbins: *The Mozart Companion*, en collaboration avec Donald Mitchell (Faber and Faber, London, 1956).

MASSIN, Jean et Brigitte: *Wolfgang Amadeus Mozart* (Club Français du Livre, Paris, 1959).

NEWMAN, Ernest: *Great Operas* (Vintage Books, New York, 1958).

PONTE, Lorenzo da: *Memoirs* (Dover Publications Inc., New York, 1967).

SADIE, Stanley: *Mozart* (Calder and Boyars Limited, London).

SAINT-FOIX, G. de: *Les Symphonies de Mozart* (Editions Mellottée, Paris).

Index des noms cités

Achevé d'imprimer sur les presses de
L'IMPRIMERIE ELECTRA
pour
LES ÉDITIONS DE L'HOMME LTÉE

Ouvrages parus chez les Éditeurs du groupe Sogides

Ouvrages parus aux ÉDITIONS DE L'HOMME

ART CULINAIRE

Art de vivre en bonne santé (L'), Dr W. Leblond, **3.00**

101 omelettes, M. Claude, **2.00**

Choisir ses vins, P. Petel, **2.00**

Cocktails de Jacques Normand (Les), J. Normand, **2.00**

Cuisine avec la farine Robin Hood (La), Robin Hood, **2.00**

Cuisine chinoise (La), L. Gervais, **2.00**

Cuisine de Maman Lapointe (La), S. Lapointe, **2.00**

Cuisine française pour Canadiens, R. Montigny, **3.00**

Cuisine en plein air, H. Doucet, **2.00**

Cuisine italienne (La), Di Tomasso, **2.00**

En cuisinant de 5 à 6, J. Huot, **2.00**

Fondues et flambées, S. Lapointe, **2.00**

Grands chefs de Montréal (Les), A. Robitaille, **1.50**

Hors-d'oeuvre, salades et buffets froids, L. Dubois, **2.00**

Madame reçoit, H.D. LaRoche, **2.50**

Mangez bien et rajeunissez, R. Barbeau, **2.50**

Recettes à la bière des grandes cuisines Molson, M.L. Beaulieu, **2.00**

Recettes au "blender", J. Huot, **3.00**

Recettes de Maman Lapointe, S. Lapointe, **2.00**

Recettes de gibier, S. Lapointe, **3.00**

Régimes pour maigrir, M.J. Beaudoin, **2.50**

Soupes (Les), C. Marécat, **2.00**

Tous les secrets de l'alimentation, M.J. Beaudoin, **2.50**

Vin (Le), P. Petel, **3.00**

Vins, cocktails et spiritueux, G. Cloutier, **2.00**

Vos vedettes et leurs recettes, G. Dufour et G. Poirier, **3.00**

Y'a du soleil dans votre assiette, Georget-Berval-Gignac,

DOCUMENTS, BIOGRAPHIE

Acadiens (Les), E. Leblanc, **2.00**

Bien-pensants (Les), P. Berton, **2.50**

Blow up des grands de la chanson, M. Maill, **3.00**

Bourassa-Québec, R. Bourassa, **1.00**

Camillien Houde, H. Larocque, **1.00**

Canadians et nous (Les), J. De Roussan, **1.00**

Ce combat qui n'en finit plus, A. Stanké,-J.L. Morgan, **3.00**

Charlebois, qui es-tu?, B. L'Herbier, **3.00**

Chroniques vécues des modestes origines d'une élite urbaine, H. Grenon, **3.50**

Conquête de l'espace (La), J. Lebrun, **5.00**

Des hommes qui bâtissent le Québec,
collaboration, **3.00**

Deux innocents en Chine rouge,
P.E. Trudeau, J. Hébert, **2.00**

Drapeau canadien (Le), L.A. Biron, **1.00**

Drogues, J. Durocher, **2.00**

Egalité ou indépendance, D. Johnson, **2.00**

Epaves du Saint-Laurent (Les),
J. Lafrance, **3.00**

Etat du Québec (L'), collaboration, **1.00**

Félix Leclerc, J.P. Sylvain, **2.00**

Fabuleux Onassis (Le), C. Cafarakis, **3.00**

Fête au village, P. Legendre, **2.00**

FLQ 70: Offensive d'automne, J.C. Trait, **3.00**

France des Canadiens (La), R. Hollier, **1.50**

Greffes du coeur (Les), collaboration, **2.00**

Hippies (Les), Time-coll., **3.00**

Imprévisible M. Houde (L'), C. Renaud, **2.00**

Insolences du Frère Untel, F. Untel, **1.50**

J'aime encore mieux le jus de betteraves,
A. Stanké, **2.50**

Juliette Béliveau, D. Martineau, **3.00**

La Bolduc, R. Benoit, **1.50**

Lamia, P.T. De Vosjoli, **5.00**

**Masques et visages du spiritualisme
contemporain,** J. Evola, **5.00**

Médecine d'aujourd'hui, Me A. Flamand, **1.00**

Médecine est malade, Dr L. Joubert, **1.00**

Médecins, l'Etat et vous!
Dr R. Robitaille, **2.00**

Michèle Richard raconte Michèle Richard,
M. Richard, **2.50**

Nationalisation de l'électricité (La),
P. Sauriol, **1.00**

Napoléon vu par Guillemin, H. Guillemin, **2.50**

On veut savoir, (4 t.), L. Trépanier, **1.00 ch.**

Option Québec, R. Lévesque, **2.00**

Pour une radio civilisée, G. Proulx, **2.00**

Prague, l'été des tanks, collaboration, **3.00**

Premiers sur la lune,
Armstrong-Aldrin-Collins, **6.00**

Prisonniers à l'Oflag 79, P. Vallée, **1.00**

Prostitution à Montréal (La),
T. Limoges, **1.50**

Québec 1800, W.H. Bartlett, **15.00**

Rage des goof-balls,
A. Stanké-M.J. Beaudoin, **1.00**

Regards sur l'Expo, R. Grenier, **1.50**

Rescapée de l'enfer nazi, R. Charrier, **1.50**

Révolte contre le monde moderne,
J. Evola, **6.00**

Riopelle, G. Robert, **3.50**

Scandale à Bordeaux, J. Hébert, **1.00**

Scandale des écoles séparées en Ontario,
J. Costicella, **1.00**

Terrorisme québécois (Le), Dr G. Morf, **3.00**

Ti-blanc, mouton noir, R. Laplante, **2.00**

Trois vies de Pearson (Les),
Poliquin-Beal, **3.00**

Trudeau, le paradoxe, A. Westell, **5.00**

Une culture appelée québécoise,
G. Turi, **2.00**

Une femme face à la Confédération,
M.B. Fontaine, **1.50**

Un peuple oui, une peuplade jamais!
J. Lévesque, **3.00**

Un Yankee au Canada, A. Thério, **1.00**

Vrai visage de Duplessis (Le),
P. Laporte, **2.00**

ENCYCLOPEDIES

Encyclopédie de la maison québécoise,
Lessard et Marquis, **6.00**

Encyclopédie des antiquités du Québec,
Lessard et Marquis, **6.00**

Encyclopédie des oiseaux du Québec,
W. Earl Godfrey, **6.00**

Encyclopédie du jardinier horticulteur,
W.H. Perron, **6.00**

ESTHETIQUE ET VIE MODERNE

Cellulite (La), Dr G.J. Léonard, **3.00**
Charme féminin (Le), D.M. Parisien, **2.00**

Chirurgie plastique et esthétique,
Dr A. Genest, **2.00**

Embellissez votre corps, J. Ghedin, **1.50**

Embellissez votre corps, J. Ghedin, **1.50**

Etiquette du mariage, Fortin-Jacques, Farley, **2.50**

Exercices pour rester jeune, T. Sekely, **2.00**

Femme après 30 ans, N. Germain, **2.50**

Femme émancipée (La), N. Germain et L. Desjardins, **2.00**

Leçons de beauté, E. Serei, **1.50**

Savoir se maquiller, J. Ghedin, **1.50**

Savoir-vivre, N. Germain, **2.50**

Savoir-vivre d'aujourd'hui (Le), M.F. Jacques, **2.00**

Sein (Le), collaboration, **2.50**

Soignez votre personnalité, messieurs, E. Serei, **2.00**

Vos cheveux, J. Ghedin, **2.50**

Vos dents, Archambault-Déom, **2.00**

LINGUISTIQUE

Améliorez votre français, J. Laurin, **2.50**

Anglais par la méthode choc (L'), J.L. Morgan, **2.00**

Dictionnaire en 5 langues, L. Stanké, **2.00**

Mirovox, H. Bergeron, **1.00**

Petit dictionnaire du joual au français, A. Turenne, **2.00**

Savoir parler, R.S. Catta, **2.00**

Verbes (Les), J. Laurin, **2.50**

LITTERATURE

Amour, police et morgue, J.M. Laporte, **1.00**

Bigaouette, R. Lévesque, **2.00**

Bousille et les Justes, G. Gélinas, **2.00**

Sandy, Southern & Hoffenberg, **3.00**

Cent pas dans ma tête (Les), P. Dudan, **2.50**

Commettants de Caridad (Les), Y. Thériault, **2.00**

Des bois, des champs, des bêtes, J.C. Harvey, **2.00**

Dictionnaire d'un Québécois, C. Falardeau, **2.00**

Ecrits de la Taverne Royal, collaboration, **1.00**

Ermite (L'), T.L. Rampa, **3.00**

Gésine, Dr R. Lecours, **2.00**

Hamlet, Prince du Québec, R. Gurik, **1.50**

Homme qui va (L'), J.C. Harvey, **2.00**

J'parle tout seul quand j'en narrache, E. Coderre, **1.50**

Mort attendra (La), A. Malavoy, **1.00**

Malheur a pas des bons yeux, R. Lévesque, **2.00**

Marche ou crève Carignan, R. Hollier, **2.00**

Mauvais bergers (Les), A.E. Caron, **1.00**

Mes anges sont des diables, J. de Roussan, **1.00**

Montréalités, A. Stanké, **1.00**

Mort d'eau (La), Y. Thériault, **2.00**

Ni queue, ni tête, M.C. Brault, **1.00**

Pays voilés, existences, M.C. Blais, **1.50**

Pomme de pin, L.P. Dlamini, **2.00**

Pou rentretenir la flamme, T.L. Rampa, **3.00**

Pour la grandeur de l'homme, C. Péloquin, **2.00**

Printemps qui pleure (Le), A. Thério, **1.00**

Prix David, C. Hamel, **2.50**

Propos du timide (Les), A. Brie, **1.00**

Roi de la Côte Nord (Le), Y. Thériault, **1.00**

Temps du Carcajou (Les), Y. Thériault, **2.50**

Tête blanche, M.C. Blais, **2.50**

Tit-Coq, G. Gélinas, **2.00**

Toges, bistouris, matraques et soutanes, collaboration, **1.00**

Treizième chandelle (La), T.L. Rampa, **3.00**

Un simple soldat, M. Dubé, **1.50**

Valérie, Y. Thériault, **2.00**

Vendeurs du temple (Les), Y. Thériault, **2.00**

Vertige du dégoût (Le), E.P. Morin, **1.00**

LIVRES PRATIQUES

Apprenez la photographie avec Antoine Desilets, A. Desilets, 3.50

Bricolage (Le), J.M. Doré, 3.00

Cabanes d'oiseaux (Les), J.M. Doré, 3.00

Camping et caravaning, J. Vic et R. Savoie, 2.50

Cinquante et une chansons à répondre, P. Daigneault, 1.50

Comment prévoir le temps, E. Neal, 1.00

Conseils à ceux qui veulent bâtir, A. Poulin, 2.00

Conseils aux inventeurs, R.A. Robic, 1.50

Couture et tricot, M.H. Berthouin, 2.00

Décoration intérieure (La), J. Monette, 3.00

Guide complet de la couture (Le), L. Chartier, 3.50

Guide de l'astrologie (Le), J. Manolesco, 3.00

Hypnotisme (L'), J. Manolesco, 3.00

Informations touristiques, la France, Deroche et Morgan, 2.50

Informations touristiques, le Monde, Deroche, Colombani, Savoie, 2.50

Insolences d'Antoine, A. Desilets, 3.00

Interprétez vos rêves, L. Stanké, 3.00

Jardinage (Le), P. Pouliot, 3.00

J'ai découvert Tahiti, J. Languirand, 1.00

Je prends des photos, A. Desilets, 4.00

Jeux de société, L. Stanké, 2.00

Juste pour rire, C. Blanchard, 2.00

Météo (La), A. Ouellet, 3.00

Origami, R. Harbin, 2.00

Pourquoi et comment cesser de fumer, A. Stanké, 1.00

La retraite, D. Simard, 2.00

Technique de la photo, A. Desilets, 4.00

Techniques du jardinage (Les), P. Pouliot, 5.00

Tenir maison, F.G. Smet, 2.00

Tricot (Le), F. Vandelac, 3.00

Trucs de rangement no 1, J.M. Doré, 3.00

Trucs de rangement no 2, J.M. Doré, 3.00

Une p'tite vite, G. Latulippe, 2.00

Vive la compagnie, P. Daigneault, 2.00

LE MONDE DES AFFAIRES ET LA LOI

ABC du marketing (L'), A. Dahamni, 3.00

Bourse, (La), A. Lambert, 3.00

Budget (Le), collaboration, 3.00

Ce qu'en pense le notaire, Me A. Senay, 2.00

Connaissez-vous la loi? R. Millet, 2.00

Cruauté mentale, seule cause du divorce? (La), Me Champagne et Dr Léger, 2.50

Dactylographie (La), W. Lebel, 2.00

Dictionnaire des affaires (Le), W. Lebel, 2.00

Dictionnaire économique et financier, E. Lafond, 4.00

Dictionnaire de la loi (Le), R. Millet, 2.50

Dynamique des groupes, Aubry-Saint-Arnaud, 1.50

Guide de la finance (Le), B. Pharand, 2.50

Loi et vos droits (La), Me P.A. Marchand, 4.00

Poids et mesures, calcul rapide, L. Stanké, 2.00

Secrétaire (Le/La) bilingue, W. Lebel, 2.50

RELIGION

Abbé Pierre parle aux Canadiens (L'), A. Pierre, 1.00

Chrétien en démocratie (Le), Dion-O'Neil, 1.00

Chrétien et les élections (Le), Dion-O'Neil, 1.50

Eglise s'en va chez le diable (L') Bourgeault-Caron-Duclos, 2.00

LE SEL DE LA SEMAINE

Louis Aragon, **1.00**
François Mauriac, **1.00**

Jean Rostand, **1.00**
Michel Simon, **1.00**
Han Suyin, **1.00**

SANTE, PSYCHOLOGIE, EDUCATION

Apprenez à connaître vos médicaments,
R. Poitevin, **3.00**

Complexes et psychanalyse,
P. Valinieff, **2.50**

Comment vaincre la gêne et la timidité,
R.S. Catta, **2.00**

Communication et épanouissement personnel, L. Auger, **3.00**

Cours de psychologie populaire,
F. Cantin, **2.50**

Dépression nerveuse (La), collaboration, **2.50**

Développez votre personnalité, vous réussirez, S. Brind'Amour, **2.00**

En attendant mon enfant,
Y.P. Marchessault, **3.00**

Femme enceinte (La), Dr R. Bradley, **2.50**

Guide des premiers soins,
Dr J. Hartley, **3.00**

Guide médical de mon médecin de famille,
Dr M. Lauzon, **3.00**

Langage de votre enfant (Le),
C. Langevin, **2.50**

Maladies psychosomatiques (Les),
Dr R. Foisy, **2.00**

Maman et son nouveau-né (La),
T. Sekely, **2.00**

Parents face à l'année scolaire (Les),
collaboration, **2.00**

Pour vous future maman, T. Sekely, **2.00**

Relaxation sensorielle (La),
Dr P. Gravel, **3.00**

Volonté (La), l'attention, la mémoire,
R. Tocquet, **2.50**

Vos mains, miroir de la personnalité,
P. Maby, **3.00**

Votre écriture, la mienne et celle des autres, F.X. Boudreault, **1.50**

Votre personnalité, votre caractère,
Y. Benoist-Morin, **2.00**

SPORTS

Aérobix, Dr P. Gravel, **2.00**

Armes de chasse (Les), Y. Jarretie, **2.00**

Baseball (Le), collaboration, **2.50**

Course-Auto 70, J. Duval, **3.00**

Courses de chevaux (Les), Y. Leclerc, **3.00**

Devant le filet, J. Plante, **3.00**

Golf (Le), J. Huot, **2.00**

Football (Le), collaboration, **2.50**

Guide de l'auto (Le) (1967), J. Duval, **2.00**
(1968-69-70-71), 3.00 chacun

Guide du judo, au sol (Le), L. Arpin, **3.00**

Guide du judo, debout (Le), L. Arpin, **3.00**

Guide du self-defense (Le), L. Arpin, **3.00**

Guide du ski: Québec 71, collaboration, **2.00**

Guide du ski: Québec 72, collaboration, **2.00**

Jean Béliveau, puissance au centre,
H. Hood, **3.00**

Mammifères de mon pays,
Duchesnay-Dumais, **2.00**

Match du siècle: Canada-URSS,
D. Brodeur, G. Terroux, **3.00**

Mon coup de patin, le secret du hockey,
J. Wild, **3.00**

Natation (La), M. Mann, **2.50**

Pêche au Québec (La), M. Chamberland, **3.00**

Petit guide des Jeux olympiques,
J. About-M. Duplat, **2.00**

Poissons du Québec (Les), Juschereau-Duchesnay, **1.00**

Ski (Le), W. Schaffler-E. Bowen, **2.50**

Taxidermie (La), J. Labrie, **2.00**

Tennis (Le), W.F. Talbert, **2.50**

Tous les secrets de la chasse, M. Chamberland, **1.50**

Tous les secrets de la pêche, M. Chamberland, **2.00**

36-24-36, A. Coutu, **2.00**

Yoga, santé totale pour tous (Le), G. Lescouflair, **1.50**

Ouvrages parus a
L'ACTUELLE JEUNESSE

Crimes à la glace, P.S. Fournier, **1.00**

Feuilles de thym et fleurs d'amour, M. Jacob, **1.00**

Porte sur l'enfer, M. Vézina, **1.00**

Silences de la croix du Sud (Les), D. Pilon, **1.00**

Terreur bleue (La), L. Gingras, **1.00**

22,222 milles à l'heure, G. Gagnon, **1.00**

Ouvrages parus a
L'ACTUELLE

Aaron, Y. Thériault, **2.50**

Agaguk, Y. Thériault, **3.00**

Bois pourri (Le), A. Maillet, **2.50**

Carnivores (Les), F. Moreau, **2.00**

Carré Saint-Louis, J.J. Richard, **3.00**

Cul-de-sac, Y. Thériault, **3.00**

Danka, M. Godin, **3.00**

Demi-civilisés (Les), J.C. Harvey, **3.00**

Dernier havre (Le), Y. Thériault, **2.50**

Domaine de Cassaubon (Le), G. Langlois, **3.00**

Dompteur d'ours (Le), Y. Thériault, **2.50**

Doux mal (Le), A. Maillet, **2.50**

D'un mur à l'autre, P.A. Bibeau, **2.50**

Et puis tout est silence, C. Jasmin, **3.00**

Fille laide (La), Y. Thériault, **3.00**

Jeu des saisons (Le), M. Ouellette-Michalska, **2.50**

Marche des grands cocus (La), R. Fournier, **3.00**

Mourir en automne, C. DeCotret, **2.50**

Neuf jours de haine, J.J. Richard, **3.00**

N'Tsuk, Y. Thériault, **2.00**

Outaragasipi (L'), C. Jasmin, **3.00**

Porte Silence, P.A. Bibeau, **2.50**

Requiem pour un père, F. Moreau, **2.50**

Scouine (La), A. Laberge, **3.00**

Tayaout, fils d'Agaguk, Y. Thériault, **2.50**

Tours de Babylone (Les), M. Gagnon, **3.00**

Visages de l'enfance (Les), D. Blondeau, **3.00**

Ouvrages parus aux
PRESSES
LIBRES

Amour (L'), collaboration, **6.00**

Amour humain (L'), R. Fournier, **2.00**

Anik, Gilan, **3.00**

Anti-sexe (L'), J.P. Payette, **3.00**

Ariâme . . .Plage nue, P. Dudan, **3.00**

Assimilation pourquoi pas? (L'),
L. Landry, **2.00**

Aventures sans retour, C.J. Gauvin, **3.00**

Bateau ivre (Le), M. Metthé, **2.50**

Cent positions de l'amour (Les),
H. Benson, **3.00**

Comment devenir vedette, J. Beaulne, **3.00**

Couple sensuel (Le), Dr L. Gendron, **2.00**

Des Zéroquois aux Québécois,
C. Falardeau, **2.00**

Emmanuelle à Rome, **5.00**

Franco-Fun Kébecwa, F. Letendre, **2.50**

Guide des caresses, P, Valinieff, **3.00**

Incommunicants (Les), L. Leblanc, **3.00**

Initiation à Menke Katz, A. Amprimoz, **1.50**

Joyeux Troubatours (Les), A. Rufiange, **2.00**

Ma cage de verre, M. Metthé, **2.50**

Maria de l'hospice, M. Grandbois, **2.00**

Menues, dodues, Gilan, **3.00**

Mes expériences autour du monde,
R. Boisclair, **3.00**

Mine de rien, G. Lefebvre, **2.00**

Monde agricole (Le), J.C. Magnan, **3.50**

Négresse blonde aux yeux bridés,
C. Falardeau, **2.00**

Plaidoyer pour la grève et la contestation,
A. Beaudet, **2.00**

Positions +, J. Ray, **3.00**

Pour une éducation de qualité au Québec,
C.H. Rondeau, **2.00**

Prévisions 71, J. Manolesco,
(12 fascicules), **1.00 chacun**

Québec français ou Québec québécois,
L. Landry, **3.00**

Rêve séparatiste, L. Rochette, **2.00**

Salariés au pouvoir (Les), Frapp, **1.00**

Séparatiste, non, 100 fois non!
Comité Canada, **2.00**

Teach-in sur l'avortement,
Cegep de Sherbrooke, **3.00**

Terre a une taille de guêpe (La),
P. Dudan, **3.00**

Tocap, P. de Chevigny, **2.00**

Virilité et puissance sexuelle, M. Rouet, **3.00**

Voix de mes pensées (La), E. Limet, **2.50**

Diffusion Europe

Vander, Muntstraat 10, 3000 Louvain, Belgique

CANADA	BELGIQUE	FRANCE
$2.00	100 FB	12 F
$2.50	125 FB	15 F
$3.00	150 FB	18 F
$3.50	175 FB	21 F
$4.00	200 FB	24 F
$5.00	250 FB	30 F